Norbert Becker
Jörg Braunert

Alltag, Beruf & Co. 1

Wörterlernheft

Hueber Verlag

S. 20, zweites Foto von links: © fotolia/Diedie55
Foto S. 42: Foto Huber, Radolfzell

5.	4.	3.		Die letzten Ziffern
2015	14	13	12 11	bezeichnen Zahl und Jahr des Druckes.

Alle Drucke dieser Auflage können, da unverändert,
nebeneinander benutzt werden.
1. Auflage
© 2009 Hueber Verlag, 85737 Ismaning, Deutschland
Zeichnungen: Michael Luz, Stuttgart
Layout: Schack, Ismaning
Druck: Auer Buch + Medien GmbH, Donauwörth
Printed in Germany
ISBN 978-3-19-151590-4

Inhalt

Vorwort   4

Lektion 1   8

Lektion 2   11

Lektion 3   14

Lektion 4   18

Lektion 5   22

Lektion 6   26

Lektion 7   30

Lektion 8   33

Lektion 9   36

Lektion 10   40

Bei der Arbeit mit Sprachlehrbüchern bekommen Sie es mit authentischen Texten zu tun: Lese- und Hörtexte, Dialoge und Äußerungen. Eine Wörterflut kommt unvermeidlich auf Sie zu. Damit Sie nicht darin ertrinken, bietet Ihnen das Wörterlernheft

- eine Übersicht über die wichtigen Wörter, die Sie lernen sollten;
- praktische Hilfe beim Lernen.

Das Wörterlernheft ist mehr als eine Auflistung des Lernwortschatzes. Es ist aber keine (oft irreführende) Gegenüberstellung des deutschen Wortes und seiner Übersetzung in Ihre Muttersprache. Vier Spalten führen Sie lektions- und portionsweise in vier Schritten von der zusammenhängenden Wortliste zur aktiven Anwendung:

1 führt die Wörter in zusammenhängenden Lernportionen auf.

2 erklärt das Wort im Kontext.

In Spalte **3** üben Sie.

Jetzt kennen Sie die Wortbedeutung und können sie in Spalte **4** eintragen.

Entscheiden Sie selbst: Wie viele Wörter wollen und können Sie pro Tag lernen? Die Lernportionen zwischen jeweils etwa 5 bis 12 Wörtern helfen Ihnen bei der Entscheidung.

Denken Sie auch daran, sich Ihren persönlichen Wortschatz aufzubauen. Welche Wörter sind für Sie im Alltag und Beruf wichtig? Auch für die Gestaltung Ihres persönlichen Vokabelheftes will unser Wörterlernheft Modell sein. Der Lösungsschlüssel ermöglicht Selbstkontrolle und damit unabhängiges Lernen.

When working with textbooks for foreign languages, you will be confronted with authentic texts: written and aural texts, dialogues and others. Inevitably you will be flooded with words. To avoid drowning, this work book focusses on the relevant vocabulary and presents:

a systematic selection of the words to be learned,
practice-oriented learning aids.

It offers more than a mere listing of the essential words. And it is not an often misleading confrontation of the German word with its supposed English equivalent. Chapter by chapter the four columns on each page will guide you, starting from a coherent presentation of the relevant words and leading to their active usage:

1 lists words in small, coherent groups.   **2** The context explains the word.   **3** Practice – fill in the gaps   **4** Now you know the item's meaning and you may fill in the appropriate English word.

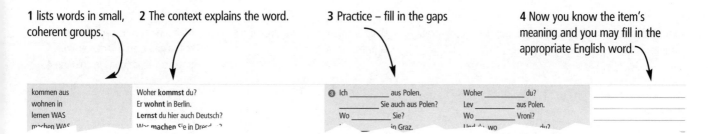

kommen aus	Woher **kommst** du?	❸ Ich _____ aus Polen.	Woher _____ du?	_____
wohnen in	Er **wohnt** in Berlin.	_____ Sie auch aus Polen?	Lev _____ aus Polen.	_____
lernen WAS	**Lernst** du hier auch Deutsch?	Wo _____ Sie?	Wo _____ Vroni?	_____
machen WAS	Was **machen** Sie in Dresden?	_____ in Graz.	Und du wo _____ du?	_____

How many words do you want or are you able to learn per day? The vocabulary in this workbook is presented in groups of about 5 to 12 words. This should allow you to select the number that you feel comfortable with.
Do not forget to build up your own personal vocabulary: Which words are important in your daily life and work? The work book provides an example of how to manage this issue. The key at the end of each unit makes independent self-tuition possible.

Le travail avec des manuels de langue étrangère vous met aux prises avec des textes authentiques, textes de lecture, dialogues enregistrés et autres documents de la langue cible. Une marée de mots nouveaux déferle sur vous. Afin que l'immersion totale ne se termine pas en noyade, nous vous offrons cette brochure d'apprentissage du lexique qui contient:

- les mots les plus importants encadrés dans un contexte caractéristique;
- des exercices pratiques de mémorisation.

Ce petit vadémécum représente bien plus qu'une liste du vocabulaire à apprendre. Il est loin d'être une confrontation – bien des fois fallacieuse – du mot allemand avec son prétendu équivalent français. A travers les quatre colonnes de chaque page vous vous acheminez à partir de la liste de mots à apprendre vers le contexte, du contexte vers un exercice d'emploi et finalement vers un espace qui vous permet de marquer la traduction en français, si le cœur vous en dit.

1 introduit des groupes de mots

2 explique le mot par un contexte.

Dans la colonne **3** vous passez à la pratique.

Maintenant vous savez ce que le mot signifie en français et vous pouvez l'écrire dans la colonne **4**.

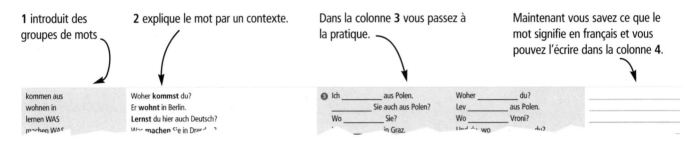

kommen aus	Woher **kommst** du?	❸ Ich _____ aus Polen.	Woher _____ du?	_____
wohnen in	Er **wohnt** in Berlin.	_____ Sie auch aus Polen?	Lev _____ aus Polen.	_____
lernen WAS	**Lernst** du hier auch Deutsch?	Wo _____ Sie?	Wo _____ Vroni?	_____
machen WAS	Was **machen** Sie in Dresden?	_____ in Graz.	Und du, wo _____ du?	

Quels mots vous sont utiles dans le quotidien et le travail? Combien de mots voulez-vous apprendre par jour? Les groupes de mots allant de 5 à 12 vous donneront une idée approximative. Il est à vous d'en décider. Composez votre vocabulaire personnel. Cet opuscule vous servira d'outil à cet effet. L'autocontrôle est possible grâce à la clé des exercices et assure un apprentissage autonome.

Amigo lector, al trabajar usted con manuales de enseñanza de idiomas extranjeros, se enfrentará con textos auténticos – textos de lectura, grabaciones y otros documentos del idioma que estudia. Un sinnúmero de palabras desconocidas le asaltan. Para que de tanta inmersion total no se ahogue, le ofrecemos este material didáctico que contiene:
- las palabras más importantes insertadas en un contexto característico
- ejercicios prácticos para su memorización

Este material es más que un mero listado de vocabulario que aprender. Y no es una confrontación – tantas veces engañosa – de palabras alemanas emparejadas con sus presuntos equivalentes en español. A través de cuatro columnas, partimos desde una cantidad viable de palabras y llegamos a sus respectivos contextos, de los contextos a ejercicios y de ahí al espacio previsto para la traducción al español, si es preciso apuntarla.

1 introduce grupos de palabras

2 explica la palabra mediante su contexto.

En la columna **3** se pasa a la práctica.

Una vez esclarecido el significado de la palabra, usted puede anotarlo en la columna **4** si le parece oportuno.

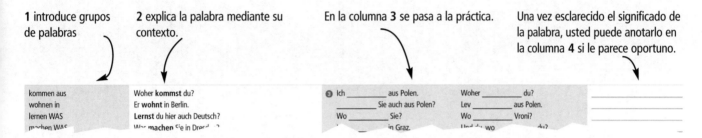

kommen aus	Woher **kommst** du?	❸ Ich _____ aus Polen.	Woher _____ du?	_____
wohnen in	Er **wohnt** in Berlin.	_____ Sie auch aus Polen?	Lev _____ aus Polen.	_____
lernen WAS	**Lernst** du hier auch Deutsch?	Wo _____ Sie?	Wo _____ Vroni?	_____
machen WAS	Was **machen** Sie in Dresden?	_____ in Graz.	Und _____ wo _____ du?	_____

¿Qué palabras le parecen útiles para su vida privada y profesional? ¿Cuántas palabras diarias quiere aprender? Los grupos que abarcan de 5 a 12 palabras le darán una idea aproximada. Usted decidirá.

Componga su vocabulario personal. Esta obrita le será una ayuda valiosa para este fin. La clave de los ejercicios le permitirá controlarse a sí mismo y estudiar de manera autónoma.

Lektion 1

1

Guten Tag, meine Damen und Herren!
Hallo, Peter! Hallo, Inge!
Grüß dich, Sabine.

| Guten Tag |
| Hallo |
| Grüß dich |

○ _____ Tom! Was machst du hier?
□ Vroni. Du, Vroni, das ist Diego Sánchez.
○ _____ Herr Sánchez. Ich heiße Veronika Thaler.
□ _____ Frau Thaler. Freut mich.

2

Ich bin Sekretärin bei der Firma Contex. **Das ist** Frau Berger.
Sie ist die Lehrerin. Und **das sind** Frau und Herr Morgenroth.
Sie sind Kursteilnehmer. **Sind Sie** auch Kursteilnehmerin, Frau Berger?

sein:	
ich bin	das ist
er/sie ist	das sind
Sie sind	

○ _____ Frau Huang Lihua. Der Vorname ist Lihua. _____ Studentin.
Und _____ Charlotte und Diego. _____ auch Kursteilnehmer.
Ich heiße Samira Mutinda. _____ Studentin. Diego, _____ Tom. _____ Student.
□ Frau Mutinda, _____ auch Kursteilnehmerin?

3

Woher **kommst** du?
Er **wohnt** in Berlin.
Lernst du hier auch Deutsch?
Was **machen** Sie in Dresden?
Wie **heißt** der Herr?
Ich **arbeite in** Wien bei der Firma AustroMac **als** Sekretärin.

| kommen aus |
| wohnen in |
| lernen WAS |
| machen WAS |
| heißen WIE |
| arbeiten in |
| arbeiten als |

○ Ich _____ aus Polen. Woher _____ du?
Wo _____ Sie? Lev _____ aus Polen.
Ich _____ in Graz. Wo _____ Vroni?
○ _____ du auch in Zürich? Und du, wo _____ du?
□ Nein, ich _____ und _____ in Bern.
○ Als was _____ du da?
□ Als Praktikantin. Du, wer ist der Herr da? Wie _____ er?
○ Das ist Herr Ono. Er _____ hier einen Sprachkurs. Er _____ Deutsch.

4

Wer ist der Herr?
Was macht der Herr hier?
Und **wie** heißt die Dame?
Wo wohnen Sie in Berlin?
Woher kommt Herr Sánchez?

| wer? |
| was? |
| wie? |
| wo? |
| woher? |

○ Entschuldigung, _____ kommen Sie?
□ Aus Wien. Aber ich wohne in Berlin.
○ Ja, und _____ arbeiten Sie?
auch.
□ In Berlin. Herr Moser arbeitet da
○ _____ ? Herr Moser? Und _____ macht Herr Moser hier in Frankfurt?
□ Da hat er eine Vertriebskonferenz. ○ _____ oft ist die Konferenz?

5

Sonia Gebauer **und** Karin Ströbele sind Freundinnen. Silvia Brunelli ist **auch** eine Freundin von Sonia. Rania Tarun und Silvia sind Kolleginnen. Kollegen sagen in Deutschland „du" **oder** „Sie". **Oft** sagen sie „du", **aber** nicht **immer**. Freunde sagen **nie** „Sie". Sie sagen **immer** „du". Chefs und Mitarbeiter sagen **selten** „du". **Manchmal** sind Kollegen **auch** Freunde.

nie	und
selten	auch
manchmal	aber
oft	oder
immer	

Im Vertrieb

Peter	100%
Helga	15%
Rania	0%
Boris	50%
Torsten	0%
Rudi	30%
Silvia	100%
Knut	85%

Peter _____ Silvia arbeiten _____ im Vertrieb. Rania arbeitet nie im Vertrieb. Wer arbeitet nie im Vertrieb: Peter _____ Thorsten? Torsten arbeitet _____ im Vertrieb. Helga arbeitet _____ im Vertrieb. Rudi arbeitet da _____ . Rudi _____ Knut arbeiten im Vertrieb und in der Produktion. Rudi arbeitet _____ im Vertrieb. Knut arbeitet da _____

Lektion 1

der/die Student/-in, -en/-nen
der/die Teilnehmer/-in, -/-nen
der/die Mitarbeiter/-in, -/-nen
der/die Elektroingenieur/-in, -/-nen
der/die Sekretär/-in, e/-nen
der/die Informatiker/-in, -/-nen
der/die Programmierer/-in, -/-nen
der/die Betriebswirt/-in, -e/-nen
der/die Leiter/-in, -/-nen
der/die Praktikant/-in, -en/-nen
der/die Kollege/Kollegin, -n/-nen
der/die Chef/-in, -s/-nen

Name	Beruf	Funktion
Werner Kolbe	Betriebswirt	Chef
Peter und Karen Burth	Studenten	Praktikanten
Viola Stüwe	Elektroingenieurin	Produktionsleiterin
Thomas Röder	Informatiker	Programmierer
Tanja Subota und Lina Portic	Sekretärinnen	Vertriebs-mitarbeiterinnen

Der Konferenzteilnehmer Kharim Kadr ist **Betriebswirt**. Er arbeitet als Produktionsleiter bei der Firma Cargo AG. Tanja Subota und Lina Portic sind **Kolleginnen**.

6 Werner Kolbe ist _____. Er ist der _____ von Peter und Karen Burth, Viola Stüwe, Thomas Röder und Tanja Subota und Lina Portic. Tanja und Lina sind _____. Peter und Karen Burth sind _____. Aber jetzt arbeiten sie als _____.

Viola Stüwe und Thomas Röder arbeiten bei der Firma Kolbe. Sie sind _____ von der Firma Kolbe GmbH. Viola ist _____ und arbeitet als _____. Thomas ist _____ und arbeitet als _____. Tanja Subota und Lina Portic sind _____. Aber sie arbeiten oft im Vertrieb. Sie sind _____. Karen Burth, Viola Stüwe, Thomas Röder und Tanja Subota und Lina Portic sind _____.

der Vorname, -n
der Familienname, -n
der Städtename, -n
der Ländername, -n
der Firmenname, -n

Vornamen: Tanja, Viola, Thomas, Werner …
Familiennamen: Kolbe, Stüwe, Redlich, Thomas …
Städtenamen: Bern, Graz, Wien, Berlin, Sydney …
Ländernamen: Schweiz, Frankreich, Kenia, China, Österreich …
Firmennamen: Werner Kolbe GmbH, AustroMac, Carl Fritz GmbH …

7 Der _____ Thomas ist manchmal auch ein _____. Der _____ Singapore ist auch ein _____. Der Firmenchef heißt Theodor Fritz. Der _____ ist Carl Fritz GmbH.

der/die Freund/-in, -e/-nen
ein Freund, eine Freundin
der/die Kollege/Kollegin, -n/-nen
der/die Bekannte, -n
der/die Chef/-in, -s/-nen

Peter Luck ist **der Freund** von Sonia Gebauer. Sonia ist seine **Freundin**. Sonia Gebauer und Karin Ströbele sind **Freundinnen**. Rania Tharun ist **eine Freundin** von Peter Luck. Sie ist eine **Kollegin** von Sonia Gebauer. Peter Luck und Karin Ströbele sind gute **Bekannte**. Karin Ströbele ist die **Chefin** von Rania Tharun.

8

Peter	Sonia	Rania	Karin
	Freundin		

Peter
Sonia
Rania
Karin

in Ordnung   gut
danke   prima
Entschuldigung   okay
bitte
freut mich

○ Hier ist die Liste. Alles richtig, alles in **Ordnung**.
□ Oh **danke**. Das ist **gut**. Und wer macht die Begrüßung?
○ Ach so, die Begrüßung? **Entschuldigung**, wer macht die Begrüßung? Machen Sie **bitte** die Begrüßung? Ah, das ist ja **prima**. Ich höre, Frau Gebauer macht das.
□ Frau Gebauer? Das **freut mich**. Frau Gebauer macht das immer **gut**, alles in **Ordnung**. **Danke**, Herr Bullinger.

9
○ _____ Nein, das ist so _____.
□ _____ ist das falsch?
○ Ah ja, _____.
□ Und noch eine Frage, _____: ist das auch _____ und in Ordnung?
○ Ja, das ist _____ so. Oh, _____! Alles richtig!
□ Das ist für Sie. Das _____
○ Oh, _____, das ist ja prima!

9

Lektion 1

der/die Lehrer/-in, -/-nen
der/die Teilnehmer/-in, -/-nen
der/die Leiter/-in, -/-nen
die Leute
die Liste, -n

wer?
wo?

schreiben WAS
machen WAS
berichten WAS
sprechen mit
buchstabieren WAS
hören WAS
sagen WAS
fragen WEN
antworten WEM

Der **Lehrer** fragt die **Kursteilnehmer**: „Woher kommen Sie?"
Herr Kadr arbeitet als Produktions**leiter** bei der Firma Karag AG.
Die **Leute** machen Notizen.
Die **Liste** ist nicht richtig.

Wer sind die Leute?
Wo wohnt Frau Brenner?
Wer wohnt in Budapest?
Kapuvar? **Wo** ist das?

○ Was **schreiben** Sie da?
□ Ich **schreibe** nicht. Ich **mache** Notizen.
○ **Berichten** Sie auch?
□ Nein, das **macht** Frau Khya. Ich **spreche** mit Frau Khya.
○ Khya?
□ Ja, Frau Khya. Ich **buchstabiere**: kaa, haa, üpsilon, aa.

○ Ich **höre** alles.
□ Wie? Alles?
○ Ich **höre** alles, was Sie **sagen**.
□ **Hören** Sie auch alles, was ich **frage**?
○ Ja, aber ich **antworte** nicht.

---

⑩ Das ist die _____ liste. Aber die _____ ist falsch: Frau Brenner ist nicht die Sekretärin. Sie ist die _____. Und Herr Kolbe ist nicht der Produktions_____, er ist der Firmenchef. Die _____ von der Firma Eurovac sind auf der _____. Aber sie sind nicht da.

⑪
○ _____ wohnt Simone? □ Simone wohnt in Graz.
○ _____ wohnt in Paris? □ Bert wohnt in Paris. Und _____ wohnt Liane?
○ _____ wohnt in Graz? □ In Graz wohnen Simone und Tom.
○ _____ wohnt in Wien? □ In Wien? Da wohnt Peter.

⑫
○ Was _____ Sie da? ● Was ich mache? Ich schreibe.
○ Und was _____ Sie? ■ Ich _____, was ich _____.
○ Und was hören Sie? ● Ich _____, was er fragt.
○ Und was _____ er?
● Wer berichtet, Herr Luck oder Frau Jentrup?
■ Ich _____. Herr Luck. Hallo, Herr Luck, _____ Sie oder _____ Sie? Herr Luck _____ Frau Jentrup?
Herr Luck, _____ nicht. Ah, ich höre Frau Jentrup _____ die Notizen und Frau Khya berichtet. Aber ich _____ noch mit Frau Khya.
■ Khya mit üü?
● Nein, mit üpsilon. Ich _____: kaa, haa, üpsilon, aa.

Lösungen:

① Hallo – Grüß dich – Guten Tag – Guten Tag
② Das ist – Sie ist – das sind – Sie sind – Ich bin – das ist – Er ist – sind Sie
③ komme – kommst – Kommen – kommt – wohnen – wohnt – wohne – wohnst – wohnen – wohne – arbeite – arbeitest – heißt – macht – lernt
④ woher – wo – Wer – was – Wie
⑤ und – immer – nie – oder – nie – selten – manchmal – und – manchmal –oft
⑥ Betriebswirt – Chef – Sekretärinnen – Studenten – Praktikanten – Mitarbeiter – Elektroingenieurin – Produktionsleiterin – Informatiker – Programmierer – Sekretärinnen – Vertriebsmitarbeiterinnen – Kollegen
⑦ Vorname – Familienname – Städtename/Ländername – Ländername/Städtename – Firmenname
⑧

	Peter	Sonia	Rania	Karin
Peter		Freundin	Freundin	Bekannte
Sonia	Freund		Kollegin	Freundin
Rania	Freund	Kollegin		Chefin
Karin	Bekannter	Freundin		

⑨ Entschuldigung – in Ordnung/okay – danke – bitte – okay/gut– gut/okay – prima – freut mich – danke
⑩ Teilnehmer – Liste – Lehrerin – leiter – Leute – Liste
⑪ Wo – Wer – wo – Wer – Wer
⑫ machen – schreiben – schreibe – höre – höre – fragt – frage – berichten – berichtet – hören – antwortet – macht – spreche – buchstabiere

Lektion 2

der Vormittag, -e	Frau Köhler kommt heute um acht. Sie ist am **Vormittag** da.
der Mittag, -e	Am **Mittag** von zwölf bis ein Uhr ist sie nicht da. Am
der Nachmittag, -e	**Nachmittag** ist sie bis drei oder vier Uhr da. Am **Abend** hat
der Abend, -e	sie einen Computerkurs.
von wann bis wann?	**Von wann bis wann** ist Frau Köhler am Vormittag da?
um (Uhr)	Ist sie **um zwei Uhr** da?
wie lange?	**Wie lange** ist sie am Nachmittag da?
wann?	**Wann** macht Frau Köhler Mittag?
heute	
morgen	Hat sie das Geschäftsessen **heute, morgen** oder
übermorgen	**übermorgen** Abend?
null	Die Telefonnummer ist **vier – null – acht – eins.**
ein	Das Geschäftsessen ist um **zwölf** Uhr, von **zwölf** bis **ein** Uhr.
eins	Haben Sie **vier** Stunden Zeit?
zwei	Der Sprachkurs ist von **sieben** bis **neun.** Das sind **zwei**
drei	Stunden.
vier	**Fünf** Leute sind da, **drei** kommen um **acht.** Um **neun** sind
fünf	alle **acht** da.
sechs	Von **elf** bis **zwölf** Uhr hat Herr Subota ein Meeting.
sieben	Firma Ergonoma ist ein **Zehn**-Mann-Betrieb mit **sechs**
acht	Mitarbeiterinnen im Vertrieb.
neun	
zehn	
elf	
zwölf	
Uhr	Es ist jetzt vier **Uhr.**
die Stunde, -n	Von 8 bis 10 **Uhr.** Das sind zwei **Stunden.**
wie viel	Um wie viel **Uhr** ist sie da?
wie viele	**Wie viel Uhr** ist es? **Wie viele** Stunden hast du Zeit?
der Tag, -e	der 9-Stunden-**Tag**
der Haushalt, -e	der 12-Personen-**Haushalt**
die Wohnung, -en	die 6-Zimmer-**Wohnung**
das Meeting, -s	das 10-Minuten-**Meeting**
der Betrieb, -e	der Viermann**betrieb**
die Münze, -n	die Zwei-Euro-**Münze**

1 Drei Leute – ein Termin

○ Wann machen wir das Meeting?

□ Morgen Vormittag habe ich keine Zeit. Aber heute _____ geht es.

○ _____ geht es? _____ vier Uhr.

○ Und _____ haben Sie Zeit? □ Drei Stunden.

■ Ja, aber *ich* habe _____ Nachmittag nicht so lange Zeit. Mein kurs ist schon um sieben Uhr.

○ Ach so, der Kurs. Haben Sie _____ oder übermorgen Zeit?

■ Morgen geht es, aber _____ nicht.

○ Okay. _____ oder Nachmittag.

□ Von elf bis eins oder von zwölf bis zwei. _____ haben Sie Zeit?

□ Was? Ein Meeting am _____? ■ Ja, ein Mittagsmeeting.

2 74932: Die Postleitzahl ist _____.

06 81-12 10 994: Die Telefonnummer ist: _____, zwölf, _____, neun, _____.

11: Die Hausnummer ist _____.

5-Mann-Betrieb: Firma Elektro Maier hat _____ Mitarbeiter.

12.00 oder 13.00 Uhr: Geht es um zwölf oder um _____ Uhr los?

3 ○ Um wie viel _____ hast du Zeit? Wie viele _____ hast du Zeit?

○ _____ Stunden hast du _____ □ Zwei Stunden.

○ _____ Zeit hast du heute? □ Heute habe ich keine Zeit.

4 ○ Ihr Haushalt hat 11 Personen und Ihre Wohnung hat 7 Zimmer. Ist das richtig?

□ Ja, ein _____ in einer _____.

Was? Sie arbeiten von 7.00 Uhr bis 17.00 Uhr? Das ist ja ein _____.

□ Hier ist ein Euro. ○ Nein, das sind zwei. Das ist eine _____.

Firma Knobel hat vier Mitarbeiter. Firma Knobel ist ein _____.

○ Herr Elstner, Frau Kyriades, haben Sie zehn Minuten Zeit?

□ Ja. Gibt es ein _____?

Es gibt Ein- und _____. Aber gibt es auch Fünf-Euro-Münzen?

---

die Zahl, -en
die Nummer, -n

Die **Zahlen** von eins bis zwölf.
Der Straßenname ist richtig, aber die Haus**nummer** ist falsch.

Uhr
er
sie
von
bis
nicht
keine

Herr und Frau Scholz kommen um acht **Uhr. Er** arbeitet im Verkauf. **Sie** ist Sekretärin. **Sie** arbeitet am Vormittag **von** acht **bis** ein Uhr. Am Nachmittag arbeitet **sie nicht.** Heute Vormittag hat sie **keine** Minute Zeit.

---

dienstlich
privat
telefonisch
persönlich

○ Herr Müller hat ein Problem.
□ Ist das Problem **dienstlich** oder **privat?**
○ **Dienstlich.**
□ Gut, von acht bis 12 Uhr bin ich **telefonisch** erreichbar.
○ Nein, nein. Er kommt **persönlich** zu Ihnen.

---

wie lange?
wie oft?
wie häufig?
welche ...?
manchmal

Wie lange arbeiten Sie heute?
Wie oft arbeiten Sie neun Stunden?
Wie häufig sind 12-Stunden-Tage bei der Firma Kolbe?
Welche Mitarbeiter arbeiten nicht am Nachmittag?
Haben Sie **manchmal** Probleme mit den Kunden?

---

häufig
oft
selten

Bei der Firma Kolbe gibt es **oft** Ein-Stunden-Meetings.
Bei der Firma Kolbe gibt es **häufig** Ein-Stunden-Meetings.
Ein-Stunden-Meetings sind bei der Firma Kolbe **häufig.**
Bei der Firma Austrotec gibt es **selten** Ein-Stunden-Meetings.
Ein-Stunden-Meetings sind bei der Firma Austrotec **selten.**

---

5 Teilnehmer _____   Haus _____   Mitarbeiter _____
Telefon _____   Postleit _____   Fax _____
Kunden _____   Stunden _____   Handy _____

6

	um 8.00	9.00	10.00	11.00	12.00	1.00 Uhr
–	–	–	Lisa ✓	Lisa ✓	–	Lisa ✓
–	Peter ✓	–	Lisa ✓	Peter ✓	–	–
–	–	Rosa ✓	Rosa ✓	Rosa ✓	–	–

Um 8.00 _____ geht es bei Lisa _____. Sie hat von 8.00 Uhr bis 10.00 Uhr _____ Zeit. Von 10.00 bis 12.00 _____ geht es bei Lisa. Peter hat von 9.00 Uhr _____ 11.00 Uhr _____ Zeit. Aber von 8.00 bis 9.00 Uhr und _____ 11.00 bis 12.00 _____ hat _____ Zeit. Bei Rosa geht es von 9.00 bis 12.00 _____. Aber _____ 8.00 bis 9.00 hat _____ keine Zeit. Um 1.00 Uhr geht es bei Rosa auch _____.

---

7 ○ Heute Abend habe ich ein Geschäftsessen bei der Firma Kolbe.
□ Ah, mit Herrn Kolbe?
○ Ja, mit Herrn Kolbe.   □ Ist das Essen dienstlich oder _____?
○ Geschäftsessen sind immer _____.
□ Für ein Essen hat er Zeit. Aber _____ ist er nie erreichbar.

---

8 ○ _____ haben Sie 10-Minuten-Meetings?   _____ Mitarbeiter kommen, welche nicht?   _____ dauern die Meetings?
□ Wie lange? Die „10-Minuten-Meetings" dauern nie zehn Minuten. _____ dauern sie zwei Stunden.
○ Und _____ sind die Meetings?

9

gibt es	ist	ist ... Student/...
häufig, oft	häufig	oft
selten	selten	selten

Abendkurse sind in Deutschland _____. Aber am Wochenende sind sie _____ Zeit. Die Kursteilnehmer haben am Tag _____ Sprachkurse oder Computerkurse. Sie arbeiten. Abendkurse sind _____ Sprachkurse. Aber Computerkurse sind nicht so _____ wie Sprachkurse. Sprachkurse sind _____ Englisch-, Französisch-, Italienisch- oder Spanischkurse. Andere Sprachkurse sind _____.

Lektion 2

welcher	**Welcher** Mitarbeiter ist Informatiker?
welches	**Welches** Produkt ist nicht in Ordnung?
welche	**Welche** Mitarbeiterin ist Elektroingenieurin?
	Welche Leute arbeiten im Vertrieb?

nie	Herr Zwerenz ist **nie** erreichbar, heute auch **nicht.**
nicht	

die Zahl, -en	Die **Zahl** 12 hat zwei **Ziffern.**
die Nummer, -n	Die **Nummer** ist nicht richtig. Eine **Ziffer** ist falsch.
die Ziffer, -n	

10 der Kollege: _____ Kollege ist dein Freund?

die Liste: _____ Liste ist falsch?

die Grafiken: _____ Grafiken sind in Ordnung?

die Teilnehmer: _____ Teilnehmer sind telefonisch erreichbar?

die Zahl: _____ Zahl ist die Teilnehmerzahl?

das Land: _____ Land ist das?

11 ○ Im Vier-Mann-Betrieb arbeiten vier Leute.

□ Oh, sagen Sie das _____ ! Firma Meier ist ein Vier-Mann-Betrieb. Aber da arbeiten _____ vier Mann. Zwei oder drei sind immer _____ erreichbar.

12 In Österreich haben die Postleit_____ vier _____ , in Deutschland fünf _____ . Handy_____ haben elf _____ .

Lösungen:

1 Nachmittag – Wann – Um – wie lange – heute – Abend – morgen – übermorgen – Vormittag – Von wann bis wann – Mittag

2 sieben – vier – neun – drei – zwei; null – sechs – acht – eins – zwölf – zehn – neun – neun – vier; elf; fünf, ein

3 Uhr – Stunden – Wie viele – Wie viel

4 Elf-Personen-Haushalt – Sieben-Zimmer-Wohnung – 10/9-Stunden-Tag – Zwei-Euro-Münze – Viermannbetrieb/Vier-Mann-Betrieb – 10-Minuten-Meeting – Zwei-Euro-Münzen/Zweieuromünzen

5 (von links nach rechts:) zahl/(nummer) – nummer – zahl – nummer – zahl – nummer – nummer/zahl – zahl – nummer

6 Uhr – nicht – keine – Uhr – bis – keine – von – Uhr – er – Uhr – von – Uhr – sie – nicht

7 persönlich – privat – dienstlich – telefonisch

8 Wie oft / Wie häufig – Welche – Wie lange – Manchmal – wie häufig / wie oft

9 häufig – selten – selten – oft – häufig – oft/häufig – selten

10 Welcher – Welche – Welche – Welche – Welche – Welches

11 nicht – nie – nicht

12 zahlen – Ziffern – nummern – Ziffern

Wortschatz

Montag, Dienstag, Mittwoch, Donnerstag, Freitag, Samstag, Sonntag
am
der Vormittag, -e
der Nachmittag, -e
beginnen WANN
enden WANN
der Unterricht
frei haben

buchen WAS
der Preis, -e
dauern WIE LANGE
die Woche, -n
nächste_

der Morgen
um ... Uhr
der Stundenplan, -pläne
zu Ende
die Pause, -n
von ... bis ...
richtig
falsch

montags, dienstags, mittwochs, donnerstags, freitags
morgens, vormittags, mittags, nachmittags
das Sprechtraining
der Test, -s
die Disco, -s
die Exkursion, -en
einmal, zweimal, dreimal, ... pro
die Landeskunde
die Mediothek, -en
das Video, -s

Der Kurs **beginnt am Montag**. Am **Freitag** haben wir nur am **Vormittag** Unterricht. Er **endet** um 12.00. Am **Dienstag, Mittwoch** und **Donnerstag** haben wir auch **am Nachmittag** Unterricht. Am **Samstag** und **Sonntag** ist kein **Unterricht. Da haben wir frei.**

Wir **buchen** die Reise. Der **Preis** ist 499 Euro. Sie **dauert** zwei **Wochen**. Sie beginnt **nächste** Woche.

○ Wann beginnt der Unterricht am **Morgen**?
□ **Um 8.00 Uhr.** Hier ist der **Stundenplan.**
○ Und wann ist er **zu Ende**?
□ Um 11.15 Uhr.
○ Wann ist die **Pause**?
□ **Von** 9.15 Uhr **bis** 9.45 Uhr haben wir eine Kaffeepause.
Die Mittagspause beginnt um 12.00 Uhr.
○ Die Exkursion beginnt um 10.00 Uhr. Ist das **richtig**?
□ Nein, das ist **falsch**. Sie beginnt um 9.00 Uhr.

Mittwochs und **donnerstags** haben wir **Sprechtraining**.
○ Haben wir **freitags** immer einen **Test**?
□ Nein, aber heute.
○ Gibt es **mittwochs** immer eine **Disco**?
□ Nein, aber am nächsten Mittwoch.
Am Donnerstag machen wir eine **Exkursion**.
Einmal pro Woche haben wir **Landeskunde**-Unterricht und **Mediothek.**
○ Was ist Mediothek?
□ Da gibt es PC-Übungen und **Videos.**
○ Wann ist die Mediothek? **Vormittags** oder **nachmittags**?

---

1 Die Arbeit _____ am Montag um 8.00 Uhr. Morgen, am _____ und übermorgen, _____ die Arbeitswoche beginnen wir um 7.00 Uhr. Am Freitag _____ ; er schon um 15.00 Uhr. Am Freitagnachmittag hat Carlos lernt Deutsch. Am _____ . Am _____ beginnt das Wochenende. Da hat er _____ gibt es eine Exkursion. Sie beginnt um 11.00 Uhr. Am _____ um 16.00 Uhr ist sie zu Ende.

---

2 Mein Kurs beginnt _____ Woche. Er _____ drei Tage. Ich _____ das Zimmer von Montag bis Mittwoch. Der
□ Gut, nächste _____ von Montag bis Mittwoch. Der _____ ist 70 Euro pro Tag.

---

3 ○ Wann beginnt der Unterricht am Morgen?
□ _____ . Bitte, hier ist ein _____ .
○ Danke. Der Unterricht dauert _____ 8.00 Uhr _____ 9.30 Uhr.
□ Ja. Und die _____ ist um 9.30 Uhr. Um 9.45 Uhr ist sie _____ . Der _____ ist am Freitag _____ um 9.45 Uhr. Zweimal _____ Woche haben wir _____ .

	Mo	Di	Mi	Do	Fr
8.00	U	U	LK	M	ST
9.30			Pause		
9.45	ST	U	U	U	Test
11.15			Ende		

_____ haben wir nur _____ pro Woche.
○ Endet der Unterricht nachmittags?
□ Nein, _____ um 11.15 Uhr.
○ Haben wir heute Nachmittag Unterricht?
□ Nein, _____ haben Sie nie Unterricht. Aber am Mittwochnachmittag machen wir eine _____ nach Innsbruck.
○ Endet der Unterricht um 13.00 Uhr?
□ Nein, das ist _____ .
○ Ist er um 11.15 Uhr zu Ende?
□ Ja, das ist _____ .
○ Kommen Sie morgen Abend zur _____ ?

Lektion 3

Vokabelliste

wie viel
kosten WIE VIEL
wie hoch
die Gebühr, -en
die Zahl, -en
die Frage, -n
der Platz, Plätze
frei sein
haben WAS
die Anmeldung, -en
beantworten WAS
telefonieren

der Termin, -e
der Kalender, –
die Besprechung, -en
das Gespräch, -e
die Personalabteilung, -en
die Hausaufgabe, -n
der Feierabend, -e
kopieren WAS
das Wochenende, -n
da (WANN)
da (WO)

die Kalenderwoche, -n
kommen WOHIN
die Tagesordnung, -en
der Tagesordnungspunkt, -e
die Bestellung, -en
der Prospekt, -e
der Betriebsrat, -räte
Verschiedenes (Sing.)
zuständig für

○ **Wie viel** kostet das Buch?
□ Es **kostet** 12 Euro.
○ **Wie hoch** sind die Kursgebühren?
□ 120 Euro.
○ **Wie hoch** ist die Stundenzahl?
□ 4 Stunden pro Tag.
○ Ich **habe** eine **Frage. Wie viele Plätze** hat der Kurs?
□ 15 Plätze. Fünf **Plätze sind** noch **frei.**
○ **Haben** Sie Fragen? Ich **beantworte** die Fragen.
□ Nein, jetzt nicht. Vielleicht morgen. Ich **telefoniere** morgen.

Frau Huang hat heute viele **Termine.** Sie notiert die **Termine** im Terminkalender. Heute Vormittag ist sie in Bad Vilbel. **Da** hat sie eine **Besprechung.** Am Nachmittag **kopiert** sie die Handouts für die Besprechung. Morgen hat sie ein **Gespräch.** Die **Personalabteilung** begrüßt Frau Huang. Um 17.00 Uhr hat sie **Feierabend.** Am **Wochenende** hat sie frei. **Da** macht sie die **Hausaufgaben** für den Deutschkurs.

Die Besprechung ist in **Kalenderwoche** 22 in Hamburg. **Kommen** Sie auch nach Hamburg? Die **Tagesordnung** kommt per E-Mail. **Tagesordnungspunkt** 2 ist die **Prospekt-Bestellung.** Der **Betriebsrat** ist für die **Tagesordnungspunkte** Betriebsausflug und **Verschiedenes zuständig.**

4

○ _____ Teilnehmer sind im Kurs?
□ Zwölf Teilnehmer.
○ _____ sind die Verkaufszahlen?
□ 250 pro Monat.
○ Ich habe eine _____ : Wie viele Teilnehmer sind im Kurs?
■ Ich _____ die Frage: Die Teilnehmer _____ ist maximal zwölf. Die Kurs _____ ist 120 Euro.
● Wie viele Plätze sind noch _____ ?
■ Es gibt noch zwei _____ .
● Wann ist die _____ zu Ende?
■ Die ist morgen zu Ende.

5

```
                              KW 34
          Besprechung vorbereiten: TO kopieren
Mo
Di    9.30   Wochenbesprechung
Mi   11.00   Gespräch m. Frau Huang
Do   14.30   Fragestunde Betriebsrat (Pers.abt.)
             (Feierabend 15.00)
Fr
Sa/So
```

Das ist der Termin _____ von Frau Gühring. In _____ 34 hat sie drei _____ . Am Dienstag hat sie die _____ . Sie ist für die Vorbereitung _____ . Das macht Sie am Montag. _____ für die Besprechung. Die Tagesordnung hat vier _____ . Frau Gühring die _____ . Tagesordnungspunkt 4 ist der Punkt _____ . Mit Punkt 4 ist die Besprechung zu Ende. Am Mittwoch hat sie ein _____ mit Huang Lihua. Am Donnerstag _____ der Betriebsrat in die _____ ist die Fragestunde. Am Freitag hat sie schon um 15.00 Uhr _____ hat sie frei. Am _____ ist die _____ .

Lektion 3

6

○ _____ du die Besprechung am Mittwoch?
□ Ja, der _____ ist um 8.30 Uhr. Das ist die _____.
○ Sind um 8.30 Uhr alle Teilnehmer _____?
□ Ja. Die _____ ist schon am Dienstag. Alle sind anwesend.
○ Wann _____ die Besprechung?
□ Am Nachmittag ist sie zu Ende.

planen WAS	○ Ich **plane** die Konferenz
die Planung, -en	□ Und wie ist die **Planung**?
die Anreise (Sing.)	○ Die **Anreise** ist am Montagabend. Um 22.00 Uhr sind alle
da (anwesend)	Teilnehmer **da**.
der Beginn (Sing.)	○ Wann beginnt die Konferenz?
enden WANN	□ Der **Beginn** ist um 9.00 Uhr. Sie **endet** um 19.00 Uhr.

7

Am Nachmittag _____ die Teilnehmer in Arbeitsgruppen.
Den Arbeitsgruppen _____ schreibt Frau Berger. Eine Arbeitsgruppe macht eine _____.
○ Haben wir eine _____ pause?
□ Ja.
○ Gibt es auch _____?
□ Nein, nur Kaffee.
Am Sonntagabend sind alle Teilnehmer _____. Sie _____ bis Dienstag. _____ ist die Konferenz zu Ende. Der _____ ist da und die _____ beginnt.

diskutieren WAS	Am Montagvormittag **diskutieren** wir den Vertriebs**bericht**.
der Bericht, -e	Am Nachmittag gibt es eine **Präsentation** über die
die Präsentation, -en	Vertriebsplanung. Um 15.30 Uhr ist Pause mit **Kaffee** und
der Kaffee (Sing.)	**Kuchen**. Der **Abschied** ist am Montagabend. Aber die
der Kuchen, –	Teilnehmer **bleiben** bis Dienstagmorgen **da**. **Da** ist die
der Abschied, -e	**Abreise**.
die Abreise, -n	
bleiben WIE LANGE	
da (WANN)	
da (anwesend)	

8

Öffnungszeiten:
vormittags 9.30 – 12.00
nachmittags 13.00 – 17.30

○ Das Büro ist von 9.30 Uhr bis 12.00 Uhr _____. Von 12.00 Uhr –
13.00 Uhr ist es _____.
□ Und wann sind Sie _____ da?
○ Um 13.00 Uhr _____ wir _____. Abends _____
wir um 17.30 Uhr.

öffnen WANN	○ Wann **öffnet** das „Sausalitos"?
geöffnet	□ Heute ist es von 17.00 Uhr bis 1.00 Uhr **geöffnet**.
schließen WANN	○ Samstags **schließt** der „Frischemarkt" um 18.00 Uhr.
geschlossen	□ Und wann ist er sonntags **geschlossen**?
wieder	Lieber Peter, wann kommst du **wieder** nach Frankfurt?
	Gruß – Rosa
	Liebe Rosa, ich bleibe noch drei Tage in Prag. Am Montag bin
	ich **wieder** in Frankfurt. Gruß – Peter

9

_____ Kurs A ist sehr schwierig, aber er ist _____.
_____ ist Kurs B nicht so gut, aber auch nicht so _____. Kurs C ist nicht
schwierig, aber er ist _____. Mein Vorschlag: Wir machen Kurs B
_____.

gut	○ Ist die Planung **gut**?
schlecht	□ Ja, so ist der Plan **in Ordnung**.
schwierig	○ Die Übung ist sehr **schwierig**. Aber sie ist nicht **schlecht**.
in Ordnung	□ Ja, sie ist **gut**.
vielleicht	○ Wann kommt Klaus?
zusammen	□ **Vielleicht** kommt er morgen, **vielleicht** übermorgen.
	○ Kommen Klaus und Petra **zusammen**?
	□ Nein, Petra kommt nicht. Aber Klaus kommt.

Lektion 3

Liebe_
Sehr geehrte_
frei haben
frei sein

Liebe Petra, wie geht es dir? **Hast** du am Wochenende **frei?**
Sehr geehrte Damen und Herren, ...
Sehr geehrte Kunden, ...
Sehr geehrter Herr Zöllner, wann haben Sie Zeit für ein
Gespräch? **Ist** nächste Woche noch ein Termin **frei?**

⑩ _____ Peter, am Samstag arbeite ich. Aber am Sonntag
_____ ich _____. Gruß Petra
_____ Damen und Herren, wann beginnt der
Kurs „Windows XP", und _____ noch Plätze _____ ?

Lösungen:

① beginnt – Dienstag – am – Mittwoch – endet – Unterricht –
Samstag – frei – Sonntag/Donnerstag – Vormittag – Nachmittag

② nächste – dauert – buche – Woche – Preis

③ Um – Uhr – Stundenplan – von – bis – Pause – zu Ende – Test – pro
– Sprachlabor – Landeskunde – einmal – vormittags – nachmittags –
Exkursion – falsch – richtig – Disco

④ Wie viele – Wie hoch – Frage – beantworte – zahl – gebühr – frei –
Plätze – Anmeldung

⑤ kalender – Kalenderwoche – Termine – besprechung – zuständig –
Da – kopiert – Tagesordnung – Tagesordnungspunkte –
Verschiedenes – Gespräch – kommt – Personalabteilung – Da –
Feierabend – Wochenende

⑥ Planst – Beginn – Planung – da – Anreise – endet

⑦ diskutieren – bericht – Präsentation – Kaffee – Kuchen – da –
bleiben – Da – Abschied – Abreise

⑧ geöffnet – geschlossen – wieder – öffnen – wieder – schließen

⑨ gut – Vielleicht – schwierig – schlecht – zusammen

⑩ Lieber – habe – frei – Sehr geehrte – sind – frei

Lektion 4

Wortschatz	Beispiel
trinken	○ Was **trinkst** du gern?
die Cola, -s	□ Ich trinke gern **Cola**.
das Bier, -e	○ Trinkst du auch **Bier**?
der Tee, -s	□ Nein, ich trinke nur **Tee** und Cola.
die Vorliebe, -n	○ Hast du eine **Vorliebe**?
gern / nicht so gern	□ Ja, Cola trinke ich **gern**. Tee trinke ich **nicht so gern**.
der Wein, -e	Manchmal trinke ich auch ein Glas **Wein**.
essen	Ich **esse** viel **Kartoffeln**.
die Kartoffel, -n	Isst Hans viel **Reis**?
der Reis	Die Chinesen essen **wenig** Kartoffeln.
wenig	Die Chinesen essen **viel** Reis.
viel	
gehen WOHIN	Ich **gehe** zur After-Work-Party.
die Einladung, -en	Ich habe eine **Einladung** zur **Party**.
die Party, -s	Ich habe um 12.00 Uhr eine **Verabredung** in Wien.
die Verabredung, -en	○ Beginnt die Party **spät**?
spät	□ Nein, sie beginnt **früh** – schon um 16.00 Uhr.
früh	
vergleichen WEN/WAS	○ **Vergleichen** Sie die Mittagspause in Deutschland und in Spanien.
kurz	□ In Deutschland ist die Mittagspause **kurz**, in Spanien ist sie **lang**.
lang	
der Chinese / die Chinesin, -n/-nen	Die **Chinesen** essen viel **Nudeln** und Reis. Die **Deutschen**
der/die Deutsche, -n	essen nicht so viel Nudeln und Reis.
die Nudel, -n	
der Rotwein, -e	Sören trinkt gern **Rotwein**. Edith trinkt gern **Cocktails**.
der Cocktail, -s	Aber **beide** trinken gern eine **Tasse Kaffee**.
beide	
der Kaffee (Sing.)	das Cocktail-**Glas**, ein **Glas** Cola
die Tasse, -n	
das Glas, Gläser	

1

○ _____ Hans lieber Cola oder lieber Tee?
□ Er trinkt _____ Cola. Tee trinkt er _____.
○ Ah, er hat eine _____ für Cola. Tee und Cola trinke ich nicht gern. Ich trinke lieber _____.
□ Trinkst du auch _____?
○ Gern? Nein. Manchmal ein Glas, aber nicht oft.

2

○ Nehmen Sie Reis?
□ Nein, ich nehme lieber _____
○ Wir Chinesen essen nicht viel Kartoffeln. Wir essen viel _____
Und was _____ du? Reis oder Kartoffeln?
■ Wir haben nicht _____ Zeit. Nur zehn Minuten.
● Oh, das ist wirklich _____.

3

Ich habe eine _____ zum Abendessen bei Eva. Aber ich _____ nicht zu Eva. Ich habe heute Abend eine _____ mit Elisabeth.
○ Die Party beginnt immer um 21.00 Uhr.
□ Das ist aber _____!
○ Heute beginnt sie schon um 18.00 Uhr.
□ Das ist aber _____!

4

○ _____ Sie: Was trinkt und isst Lihua gern? Was trinkt und isst Sören gern?
□ Lihua isst gern Reis, aber Sören isst lieber _____.
○ Wie _____ ist der Kurs?
□ Nicht _____. ein Wochenende.
○ Nur zwei Tage? Das ist _____. Sind nur Deutsche im Kurs?
□ Nein, es gibt auch zwei _____ aus Hongkong.

5

○ Peter und Anna kommen. Was trinken die _____?
□ Peter trinkt immer eine _____ Rotwein.
○ Im „Sausalitos" nimmt Anna immer einen _____ Kaffee und Anna ein _____
□ Einen Cocktail haben wir nicht. Aber eine Tasse _____ für Peter haben wir immer, und auch ein Glas _____ ist da.

Lektion 4

Vocabulary	Dialogue	Fill-in

6

die Kantine, -n
der Plan, Pläne
das Büfett, -s
der Salat, -e
das Dessert, -s
verschiedene_

Ich gehe zum Mittagessen in die Betriebs**kantine.**
der Speiseplan, der Stundenplan
Am **Büfett** gibt es verschiedene **Salate.**
○ Gibt es auch ein **Dessert?**
□ Ja, **verschiedene** Desserts am Büfett.

Bei Firma Weidrich gibt es eine Betriebs_____. Montags
ist der Speise_____ immer neu. Am _____ finden
Sie _____ Salate. Als _____ gibt es Früchtejoghurt,
Pudding oder Obst _____.

7

finden WIE
lieber
möchte_
hätte_gern
nehmen WAS
der Eintopf
die Spaghetti
die Soße, -n
der Milchreis
die Ravioli

○ Wie **findest** du die Arbeitszeit?
□ Nicht so gut. Ich hätte **lieber** 45 Minuten Pause. Wir haben nur 30 Minuten Pause.
○ 45 Minuten? Das **möchte** ich nicht.
○ Wir **hätten gern** Gemüse-**Eintopf.**
□ **Eintopf** gibt es heute nicht.
○ Dann **nehmen** wir **Spaghetti.**
○ Wir haben verschiedene **Soßen.** Welche **Soße** nehmen Sie?
○ Ich nehme Tomatensoße. Und du, Edith, was **möchtest** du?
■ Ich nehme **Milchreis** oder **Ravioli.**

○ Es gibt Gemüse und Fleisch, das _____ ich gut. Aber ich nehme
heute _____ Spaghetti mit Tomaten _____. Was
_____ Sie? _____ lieber den Gemüse-
□ Ich möchte auch kein Fleisch. Ich _____
○ Ich _____ gern einen Salat. Und Sie?
● Ich esse gern Reis, aber keinen _____.

8

das Fleisch
das Schnitzel, –
das Filet, -s
das Steak, -s
das Würstchen, –
die Bratwurst, -würste
der Fisch, -e
das Lachsfilet, –

○ Isst du **Fleisch?** – □ Ja, aber auch Gemüse.
○ Heute gibt es Schweine**schnitzel.**
□ Schweinefleisch esse ich nicht gern. Haben Sie kein Rinder**filet?**
○ Nein, aber Rinder**steak. Würstchen** mit Kartoffelsalat gibt es auch.
□ Ich nehme eine Rinder**bratwurst.**
Fleisch ess ich nicht gern. Ich esse lieber **Fisch.** Gibt es Fisch?
Ja, wir haben **Lachsfilet** mit Kartoffeln und Salat.

○ Ich esse vegetarisch. Ich möchte kein _____
■ Also kein Schweine_____ und kein Rinder
für Sie. Essen Sie vielleicht _____? Heute gibt es Lachsfilet.
■ Nein, ich nehme den Gemüseeintopf, aber bitte kein _____
□ Schweinefleisch esse ich auch nicht gern. Ich nehme eine Rinder-
○ Wir haben auch _____. Essen Sie das nicht gern?
□ Das esse ich gern. Aber das kostet viel. Eine _____ ist in Ordnung.

9

das Gemüse, –
der Blumenkohl
die Karotte, -n
die Tomate, -n
die Zwiebel, -n
die Zucchini, –
der Broccoli, -s

Ich möchte keinen Fisch und kein Fleisch. Ich hätte lieber **Gemüse.**
❶ Ich nehme **Blumenkohl.**
Wir haben einen Gemüseteller mit **Karotten, Zwiebeln,**
❸ **Broccoli** und **Zucchini** oder Spaghetti mit **Tomatensoße.**

○ Nr. 1, sind das Karotten? □ Nein, das ist _____.
○ Was ist Nr. 2? □ Das sind _____.
○ Nr. 3, wie heißt das auf Deutsch? □ Das sind _____.
○ Nr. 1, ist das Kohl? □ Ja, das ist _____.
○ Was sind Zucchini? Ist das auch _____?
□ Ja, _____ sind ein Gemüse aus Italien, und _____ auch.

❷ ❹

Lektion 4

20

Vokabeln

die Beilage, -n
die Kartoffel, -n
die Pommes frites
das Kartoffelpüree
die Bratkartoffeln

das Mittagessen, –
das Menü, -s
die Vorspeise, -n
das Gericht, -e
die Nachspeise, -n
der Teller, –

der Nachtisch
das Obst
der Pudding, -s
der/das Joghurt
die Eiscreme
die Sahne

Mahlzeit!
Guten Appetit!
schmecken WIE
frei
besetzt
leider
Platz nehmen

das Frühstück
die Milch
der Kaffee
der Orangensaft
das Brot, -e
das Brötchen, –
die Butter
die Marmelade, -n
das Ei, -er

Dialoge

10
☐ Haben Sie auch Nudeln als **Beilage**?
○ Heute nicht. Wir haben **Kartoffeln** und Reis.
☐ Ich nehme lieber Kartoffeln, aber keine **Pommes frites**.
○ Wir haben **Kartoffelpüree** oder **Bratkartoffeln**.
☐ Dann nehme ich **Kartoffelpüree**.

11
Was gibt es heute zum **Mittagessen**?
Mein Mittagsmenü:
Als **Vorspeise** nehme ich Suppe.
Als **Hauptgericht** hätte ich gern ein Steak mit Gemüse.
Ich möchte Eiskrem als **Nachspeise**.
Den **Gemüseteller** möchte ich nicht.

12
○ Isst du gern **Obst** zum **Nachtisch**?
☐ Obst esse ich gern, aber kein Früchtejoghurt. Zum Mittagessen möchte ich **Joghurt** oder **Pudding** als **Nachtisch**.
○ **Eiscreme mit Sahne**?
☐ Nein, keine **Sahne** bitte, nur Eiscreme.

13
○ **Mahlzeit!**
☐ **Mahlzeit!**
○ **Guten Appetit**, Herr Köhler!
☐ Danke, gleichfalls.
○ Wie **schmeckt** das Schnitzel?
☐ Gut, danke.
■ Ist hier noch **frei**?
☐ **Leider** nicht. Hier ist **besetzt**. / Ja. Bitte **nehmen Sie Platz.**

14
Frühstück gibt es von 7.00 Uhr bis 9.30 Uhr.
Nimmst du **Milch** zum Kaffee?
Trinkst du **Kaffee** oder Tee zum Frühstück?
Es gibt Mineralwasser, aber keinen **Orangensaft**.
Brot nehme ich zum Abendessen. Zum Frühstück esse ich zwei **Brötchen** mit **Butter** und **Marmelade** und manchmal auch ein **Ei**.

Übungen

10
○ Ich hätte gern ein Schnitzel.
☐ Welche _____ möchten Sie? Reis oder Nudeln?
○ Haben Sie keine _____?
☐ Wir haben Pommes frites.
○ Ich hätte lieber _____
☐ Bratkartoffeln haben wir nicht, aber haben _____
○ Dann nehme ich doch _____.

11
Das _____ ist von 12.00 Uhr bis 13.30 Uhr.
Heute gibt es zwei _____ auf dem Speiseplan: Menü 1 hat als
Haupt_____ Fisch. Als _____ gibt es Suppe oder
Salat und als _____ Pudding oder Eiskrem.
Als Vorspeise nehme ich einen _____ Suppe.

12
Zum _____ gibt es: _____ mit _____

13
○ _____, Herr Schneider, und guten _____! Ist hier
noch _____? _____ nicht. Hier ist _____. Aber da ist noch frei.
☐ Ah ja, da _____ ich _____. – Wie _____ der Gemüseteller?
■ Danke, gut.

14
Zum _____ trinke ich immer _____ mit viel
oder Tee. Ich esse _____ mit _____. Sonntags essen wir kein Brot. Da essen wir
_____ und es gibt ein _____ und ein Glas _____.
Essen Sie auch _____ zum Frühstück?

Lektion 4

das Frühstück	Zum **Frühstück** isst man Brot und man trinkt Kaffee.
das Mittagessen	Trinkt **man** in Frankreich Wein zum **Mittagessen**?
das Abendessen, –	Das **Abendessen** ist oft kalt. Es gibt Brot, Wurst und **Käse**.
man	
der Käse, –	
pünktlich / unpünktlich	Der Zug kommt **pünktlich** um 8.10 Uhr.
höflich / unhöflich	Der Kollege **erwartet** den Mitarbeiter um 10.00 Uhr. Aber der ist oft **unpünktlich**. Das ist **unhöflich**.
erwarten WEN/WAS	Bitte **warten** Sie eine Minute. Mein Kollege holt **gerade** die Prospekte.
warten	
gerade	

⑮ Das _____ ist heute um 20.00 Uhr. Oft isst _____ schon um 19.00 Uhr. Es gibt Brot, Wurst und _____. Das _____ beginnt um 12.30 Uhr. Das _____ ist um 8.30 Uhr.

⑯ Es ist 10.00 Uhr. Aber die Besprechung beginnt nicht _____. Herr Bläser ist noch im Büro. Er _____ einen Anruf. Die Kollegen sind _____ und _____ noch fünf Minuten. Dann beginnen sie. Herr Bayer begrüßt _____ die Kollegen. Da kommt auch Herr Bläser.

Lösungen:

1 Trinkt – lieber – nicht so gern – Vorliebe – Bier – gern – Wein

2 Kartoffeln – Reis – isst – viel – wenig

3 Einladung – gehe – Verabredung – spät – früh

4 Vergleichen – Nudeln – lang – lang – kurz – Chinesen

5 beiden – Tasse – Glas – Cocktail – Kaffee – Rotwein

6 kantine – Speiseplan – Büfett – verschiedene – Dessert – salat

7 finde – lieber – soße – nehmen/möchten – möchte – eintopf – hätte – Milchreis

8 Fleisch – schnitzel – filet/steak – Fisch – Würstchen – bratwurst – Steak/Steaks – Bratwurst

9 Blumenkohl – Karotten – Zwiebeln – (Blumen)kohl – Gemüse – Zucchini – Broccoli

10 Beilage – Kartoffeln – Bratkartoffeln – Kartoffelpüree – Pommes frites

11 Mittagessen – Menüs – gericht – Vorspeise – Nachspeise/Dessert – Teller

12 Nachtisch – Joghurt – Obst – Eiscreme – Pudding – Sahne

13 Mahlzeit – Appetit – frei – Leider – besetzt – nehme – Platz – schmeckt

14 Frühstück – Kaffee – Milch – Brot – Butter – Marmelade – Brötchen – Ei – Orangensaft – Eier

15 Abendessen – man – Käse – Mittagessen – Frühstück

16 pünktlich – erwartet – höflich – warten – gerade

Lektion 5

das Taxi, -s
zu Fuß
der Zug, Züge
das Flugzeug, -e
das Fahrrad, -räder
das Auto, -s
die U-Bahn, -en
die S-Bahn, -en
der Bus, -se

Nehmen wir ein **Taxi** oder gehen wir **zu Fuß?**
Ich finde den **Zug** bequem. Aber das **Flugzeug** ist manchmal sehr billig.
Fahrrad fahren ist gesund und macht Spaß. Aber heute nehme ich lieber das **Auto.**
○ Gibt es eine **U-Bahn?**
□ Nein, aber es gibt eine **S-Bahn.** Oder wir nehmen den **Bus.**

bequem
billig
gesund
teuer
schnell
langsam

Ich finde den Zug **bequem.** Aber das Flugzeug ist manchmal sehr **billig.**
Fahrrad fahren ist **gesund** und macht Spaß.
○ Eine Taxifahrt zum Hotel kostet 12 Euro. Das finde ich **teuer.**
□ Aber es geht **schnell.**
○ Manchmal gibt es einen Stau. Dann ist das Auto **langsam.**

nehmen, nimmt WAS
fahren, fährt WOHIN
gehen WOHIN

Ich **nehme** den Zug / einen Apfelsaft / ...
Wann **fährt** der Bus? **Fährt** er oft? Wie schnell **fährt** er?
Fährst du oder **gehst** du zu Fuß?
Ich **gehe** zum Schillerplatz.

1

	teuer	billig	gesund	bequem	schnell	langsam
A Taxi		nein		ja	ja	
B Auto	ja			ja	nein	ja
C Bus		ja			nein	ja
D Fahrrad		ja	ja		nein	ja
E zu Fuß			ja	nein	nein	ja
F S-Bahn	nein			nein	ja	
G U-Bahn	nein			ja	ja	
H Zug		nein		ja	ja	
I Flugzeug		ja (?)		nein	ja	

A Ich nehme ein _____ . Das ist nicht _____
und _____ , aber es ist schnell _____ .

B Das Auto ist _____ und _____ . Aber es ist nicht immer _____ .

C Es gibt auch einen _____ nach Paris. Aber der ist sehr _____ .
So langsam ist das Flugzeug nicht. Aber _____ ist er.

D Ich fahre oft _____ . Das geht nicht sehr _____ , aber auch _____
nicht langsam. Und es ist _____ und _____ .

E Kommen Sie, wir gehen _____ . Das geht _____ und ist nicht _____ ,
aber es ist _____ .

F Nehmen wir die _____ oder lieber die U-Bahn? Beide sind nicht _____ ,
und beide sind _____ , aber die S-Bahn ist nicht so _____ .

G Nehmen wir die _____ oder lieber die S-Bahn? Beide sind nicht _____ ,
und beide sind _____ , und die _____ ist _____ .

H Der _____ ist nicht _____ , aber er ist _____ und _____
schnell. Was nehmen wir, den Zug oder das _____ ?

I Busse fahren _____ . Sie sind nicht so schnell wie das _____ .
Das Flugzeug ist _____ , aber es ist nicht so _____ .
Manchmal ist es sehr _____ , aber nicht immer.

2
○ Wann _____ der Bus nach Heidenheim?
□ Um 10 Uhr. Aber warum _____ du nicht den Zug? Ich _____ den
Zug. Vera _____ auch den Zug.
○ Also gut, wir _____ den Zug. Und zum Bahnhof _____ wir zu Fuß.

Lektion 5

für
gegen

Der Preis ist ein Argument **gegen** das Taxi. Aber ist das das ein Argument **für** das Fahrrad?

---

der Wohnort, -e
der Dienstort, -e
insgesamt
die Entfernung, -en
betragen, beträgt WIE VIEL

Ich wohne in Dresden. Ist Dresden auch dein **Wohnort**?
Ich arbeite in Plauen. Ist Plauen auch dein **Dienstort**?
Die Flugdauer beträgt **insgesamt** 4 Stunden.
Die **Entfernung** von Freiburg nach Paris **beträgt** 513 Kilometer.

---

der Sitzplatz, -plätze
der Parkplatz, -plätze
der Arbeitsplatz, -plätze

Für die Fahrt von Frankfurt nach Berlin habe ich einen **Sitzplatz** im Zug.
In der Taunusstraße findest du immer einen **Parkplatz**. Gute **Arbeitsplätze** sind selten.

---

vielleicht
also
einfach
lieber
wieder

Heute kommt er nicht. **Vielleicht** kommt er morgen.
Das ist **einfach** schlecht. Ich nehme es **einfach** nicht.
Die Frage ist **einfach**. Aber die Antwort ist nicht einfach.
Das Taxi ist teuer. **Also** nehme ich **lieber** den Bus.
Wo ist Frau Berger? Ist sie schon **wieder** nicht da?

---

du
ich
ihr
wir

Was lernst **du** da?   Was lernt **ihr** da?
Ich glaube, das ist einfach.   **Wir** glauben das nicht.

---

die Nummer, -n
die Zahl, -en
die Ziffer, -n

Meine Haus**nummer** ist 13.
Wie hoch ist die Teilnehmer**zahl**?
Wie sind die erste und die letzte **Ziffer**?

---

ja
nein
doch

Nehmen wir den Bus?   □ **Ja**, gern.
Gehst du nicht zu Fuß?   □ **Nein**, lieber die S-Bahn.   □ **Doch**. Warum fragst du?

---

3 □ Das ist ein Argument _____ den Zug, aber es ist kein Argument _____ den Bus.
○ Ich bin _____ den Zug. Der Zug ist bequem.
□ Heißt das, du bist _____ das Flugzeug?

4 Frau Ehrmann wohnt in Bingen. Sie fährt täglich _____ 64 Kilometer vom _____ zur Arbeit. Ihr _____ ist Wiesbaden. Die einfache _____ von Bingen nach Wiesbaden _____ 32 Kilometer.

5 □ Im Auto hast du immer einen _____.
○ Das ist richtig. Aber manchmal findest du keinen _____.
□ Aber hier bei Firma Ergotop gibt es immer _____. Du, die haben 30 _____ für 15 Mitarbeiter.
○ Was? Haben die nur 15 _____?
□ Ja, und für einen _____ gibt es zwei _____.

6 □ Was? _____ habt keine Zeit? Das glaube ich _____ nicht.
○ _____ habt ihr am Vormittag keine Zeit, aber am Nachmittag geht es.
„Keine Zeit", das höre ich immer _____. Dorothea, _____ hast morgen keine Termine. _____ hast du Zeit. _____ schreiben das Angebot morgen Nachmittag, du und _____. Noch _____ mache ich es heute, jetzt sofort. Du, das geht schnell und es ist _____.

7 Postleit_____   Telefon_____   Gesamt_____
Fax_____   eine Zahl mit zwei _____   Zimmer_____
Kunden_____   Teilnehmer_____   Kilometer_____
End_____   Stunden_____   Verkaufs_____

8 ○ Ist Charlotte nicht da?   □ _____, sie fehlt.
○ Ist Vera da?   □ _____, sie fehlt auch. Petra ist auch nicht da.
○ _____ da ist sie. Ist Tom da?   □ _____, Tom ist da.

Lektion 5

beträgt WIE VIEL sind dauern WIE LANGE brauchen WAS	Der Spartarif **beträgt** 84 Euro. 5 Euro täglich, das **sind** 35 Euro in der Woche. Wie lange **dauert** die Konferenz? Du **brauchst** ein Navi. Mit Navi **brauchst** du 20 Minuten.
der Betrag, Beträge die Zahl, -en die Angabe, -n der Preis, -e die Nummer, -n	Alle **Beträge** sind in Ordnung. Aber der **Endbetrag** ist falsch. Kennen Sie die **Vertriebszahlen?** Die **Angaben** sind falsch. Der **Angebotspreis** beträgt 650 Euro. Wie ist die **Gerätenummer?**
der Normalpreis, -e der Gesamtpreis, -e der Sonderpeis, -e kosten WIE VIEL bedeuten WAS	Der Listenpreis ist der **Normalpreis.** Der **Gesamtpreis** ist eine Summe. 80 Euro ist ein **Sonderpreis.** Der Normalpreis beträgt 99,90 Euro. Wie viel **kostet** eine Fahrkarte nach Bad Vilbel? ○ Was **bedeutet** die Abkürzung AG? □ AG **bedeutet** „Aktiengesellschaft".
einschalten WAS tippen WORAUF bestätigen WAS herausziehen WAS eingeben WAS auswählen WAS starten WAS speichern WAS ausschalten WAS benutzen WAS einstellen WAS	das Gerät **einschalten** auf OK **tippen** die Eingabe **bestätigen** den Eingabestift **herausziehen** die Daten **eingeben** das richtige Programm **auswählen** das Programm **starten** die Daten **speichern** das Gerät **ausschalten** das Gerät **benutzen** die Uhrzeit **einstellen**

Frankfurt – Bad Vilbel, Heeremannstraße: 18 km, 20 Minuten

9 Von Frankfurt nach Bad Vilbel _____ man ein Navigationsgerät. Die Entfernung _____ 18 Kilometer. Die Fahrt _____ 20 Minuten. Manchmal _____ man auch 30 Minuten.

Von Frankfurt nach Bad Vilbel _____ es 18 Kilometer. Du _____ 20 Minuten. Aber heute _____ es vielleicht 30 Minuten. Du _____ kein Navi. Es ist einfach.

10
Geld _____ Gesamt _____
Gesamt _____ Gesamt _____
Preis _____ Flug _____
Termin _____ Kilometer _____
Telefon _____ Entfernungs _____
Flug _____ Zeit _____

11 Das ist ein _____. S ist die Abkürzung für _____ und L _____ Listenpreis. _____ sind _____. Normalpreise gibt es immer. _____ gibt es nur von 9.00 bis 14.00 Uhr und am Wochenende. Die drei Artikel kosten € 16,00, € 32,50 und € 10,00. Der _____ beträgt € 58,50. Insgesamt _____ das € 58,50.

12 einschalten – bestätigen – eingeben – starten – ausschalten – einstellen – tippen – herausziehen – auswählen – speichern – benutzen

das Gerät _____, das Gerät _____
die Uhrzeit _____, die Uhrzeit _____
den Stift _____
die Eingabe _____, die Eingabe _____
die Daten _____, die Daten _____
auf OK _____
das Programm _____, das Programm _____

Lektion 5

wie lange	**Wie lange** dauert der Kurs?
wie hoch	**Wie hoch** ist die Teilnehmerzahl?
warum	**Warum** gehen Sie nicht zu Fuß?
wie weit	**Wie weit** ist es von Fulda nach Hildesheim?
die Rückfahrt	Der Gesamtpreis für Hin- und **Rückfahrt** beträgt 24,00 Euro.

⑱
- ○ _____ ist es nach Hildesheim?
- ☐ 60 bis 70 Kilometer.
- ○ Ich fahre morgen nach Hildesheim. Und _____ fragst du?
- ☐ Der Gesamtpreis für Hinfahrt und _____ beträgt 24,00 Euro. _____ ist der Fahrpreis?
- ○ Noch eine Frage: _____ dauert die Fahrt?

Lösungen:

❶ A Taxi – billig – bequem; B teuer – bequem – schnell; C Bus – langsam – billig; D Fahrrad – schnell – gesund/billig – billig/gesund; E zu Fuß – langsam – bequem – gesund; F S-Bahn – teuer – schnell – bequem; G U-Bahn – teuer – schnell – U-Bahn – bequem; H Zug – billig – bequem – Auto/Flugzeug; I langsam – Flugzeug – schnell – bequem – billig

❷ fährt – nimmst – nehme – nimmt – nehmen – gehen

❸ gegen – für – für – gegen

❹ insgesamt – Wohnort – Dienstort – Entfernung – beträgt

❺ Sitzplatz – Parkplatz – Parkplätze – Parkplätze – Arbeitsplätze – Arbeitsplatz – Parkplätze

❻ Ihr – einfach – Vielleicht – wieder – du – Also – Wir – ich – lieber – einfach

❼ (von links nach rechts:) zahl – nummer – zahl – nummer – Ziffern – nummer – nummer – nummer – zahl – ziffer – zahl – zahlen

❽ Nein – Nein – Doch – Ja

❾ linke Spalte: braucht – beträgt – dauert – braucht; rechte Spalte: sind – brauchst – dauert – brauchst

❿ linke Spalte: betrag – zahl/preis – angabe – angabe – nummer – nummer/preis; rechte Spalte: betrag/zahl – zahl/betrag – nummer – zahl – angabe – angabe

⓫ Sonderpreis – Sonderpreis – bedeutet – Listenpreise – Normalpreise – Sonderpreise – Gesamtpreis – kostet

⓬ einschalten – ausschalten – benutzen; eingeben – speichern – einstellen; herausziehen; bestätigen – speichern; eingeben – speichern; tippen; auswählen – starten – benutzen

⓭ Wie weit – Warum – wie hoch – Rückfahrt – Wie lange

Lektion 6

einkaufen der Einkaufszettel, – kaufen WAS	○ So, und jetzt gehen wir **einkaufen**. Das ist der **Einkaufszettel**. □ **Kaufst** du bei ALDI oder bei Gutpreis? ○ Getränke **kaufe** ich bei Gutpreis, die anderen Lebensmittel **kaufe** ich bei ALDI.
fehlen brauchen WAS	Sind alle da? Wer **fehlt**? ○ Ich habe keinen Reis mehr. Reis **fehlt**. Ich **brauche** zwei Kilo. □ Ich habe noch ein Kilo Reis. Ich **brauche** aber zwei. Ein Kilo **fehlt.**
es gibt WAS da sein genug der Apfelsaft die Flasche, -n wenig	Bei Gutpreis **gibt es** Brot. Aber um 9 Uhr abends **ist** normalerweise kein Brot mehr **da.** Du hast noch **genug** Mineralwasser. Aber **Apfelsaft fehlt.** Drei **Flaschen** sind **zu wenig.**
die Marmelade, -n das Obst der Apfel, Äpfel die Apfelsine, -n	Ich kaufe zwei Glas **Marmelade** und etwas **Obst**, vielleicht **Äpfel** und **Apfelsinen.** Aber die **Apfelsinen** sind nicht schön. Ich nehme nur ein Kilo **Äpfel.** Das ist für heute genug. Die **Apfelsinen** kann ich morgen bei Aldi kaufen. Da ist das **Obst** immer frisch.
das Getränk, -e das Bier, -e das Mineralwasser, –	Wir brauchen **Getränke**: fünf Flaschen **Bier** und zwei Flaschen **Mineralwasser.**
die Flasche, -n der Beutel, – die Tafel, -n die Tube, -n das Glas, Gläser der Becher, – die Dose, -n	drei **Flaschen** Bier die **Bierflasche** zwei **Beutel** Kartoffeln der **Teebeutel** eine **Tafel** Schokolade eine **Tube** Zahnpasta zwei **Glas** Marmelade die **Marmeladengläser** vier **Becher** Joghurt der **Joghurtbecher** eine **Dose** Erbsen die **Milchdose**

1 ○ Dora _____ ihre Getränke bei Gutpreis. Aber heute tut er es. Er schreibt einen _____ und geht _____.

2 □ Habt ihr genug Leute?
○ Nein, wir haben nur vier. Das ist zu wenig. Wir _____ noch zwei. Zwei _____. Insgesamt _____ wir sechs.
□ Ja, Berger und Körner _____ heute. Aber morgen sind sie da.

3 ○ Ist noch _____ Brot da?
○ Brot _____ noch _____ bei Gutpreis Apfelsaft?
○ Natürlich. _____ Mineralwasser und Bier.
□ Gut, ich kaufe drei _____ Flaschen Mineralwasser. Ist das _____?
○ Drei Flaschen Apfelsaft sind nicht genug. Das ist viel zu _____.

4 _____ gibt es in Dosen und Flaschen. _____ gibt es in Dosen, 0,33-Liter-Flaschen oder 0,5-Liter-Flaschen. _____ gibt es auch in Dosen oder in 0,5 Liter-Flaschen für die Reise. Aber normalerweise kauft man _____ in 1-Liter-Flaschen oder 1,5-Liter-Flaschen. _____ gibt es oft im 1,5-Kilo-Beutel. Im _____ und _____ oft aus Deutschland, die November kommen die _____ aus Spanien oder aus Marokko.

5 Mineralwasser gibt es in _____ und in _____. Nur für die Reise kaufe ich Mineralwasser in 0,5-Liter- oder in 0,5-Liter-Flaschen. Normalerweise kaufe ich es in 1,5-Liter-Flaschen. Es gibt Marmelade in _____. Aber ich kaufe sie immer im Glas. Ein _____, das sind 200 bis 450 Gramm Marmelade. Kartoffeln gibt es oft im 2,5-Kilo-_____. Die Schokolade ist im Sonderangebot. Deshalb nehme ich fünf _____. Joghurt brauche ich nicht. Ich habe noch vier _____. Aber eine _____ Zahnpasta kaufe ich.

Lektion 6

Vokabeln	Beispielsätze
die Milch der Joghurt, -s	Trinkst du den Kaffee mit **Milch** und Zucker? Wie viel Becher **Joghurt** haben wir noch?
einmal, ein Mal zweimal, zwei Mal …mal, … Mal stündlich täglich wöchentlich monatlich jährlich wie oft? pro Stunde/Tag/Woche/Monat/Jahr	Bitte machen Sie das! Ich möchte es nicht **fünfmal / fünf Mal** sagen. **Einmal / Ein Mal** pro Woche / **wöchentlich** machen wir eine Afterwork-Party. Bis 20 Uhr fährt der Bus **drei Mal pro Stunde**. Ab 20 Uhr fährt der Bus nur noch **stündlich**. Ich telefoniere **pro Tag / täglich** zwanzig bis **dreißig Mal**. Meine **wöchentliche** Arbeitszeit beträgt 38,5 Stunden. Die Gebühr beträgt € 16,95 **monatlich / pro Monat**. Ich besuche zwei Fachmessen **pro Jahr / jährlich**. **Wie oft** bestellen Sie Büroartikel? **Einmal pro Monat?**
Liefer- bestellen WAS sparen WIE VIEL liefern WAS bestätigen WAS kosten WIE VIEL	der **Liefertermin** Wie viel Stück wollen Sie **bestellen?** **Bestellen** Sie eine Palette. Dann **sparen** Sie 10 Prozent. Wir **liefern** morgen. Bitte **bestätigen** Sie Ihren Besuchstermin telefonisch. Ein Stück **kostet** € 1,20. 100 Stück **kosten** nur € 100,00.
zunächst zuerst dann schließlich	**Zunächst/Zuerst** bestellt Herr Rübsam 50 000 Blatt. **Dann** bestellt er 20 000 Blatt mehr. **Schließlich** nimmt er eine Palette.
zu viel genug zu wenig	Zehn ist zu **genug**. Zwölf ist **zu viel**. Aber acht ist sicher **zu wenig**.
das Blatt die Palette, -n	Warum wollen Sie 70 000 **Blatt** nehmen? Nehmen Sie doch lieber eine **Palette**.
eilig dringend	Ich habe es **eilig**. Der Brief ist **eilig**. Wir brauchen die Ware **dringend**. Die Sache ist **dringend/eilig**.

6 Vera isst gern _____. Deshalb nimmt sie in der Cafeteria oft einen _____ kaffee und einen _____ als Nachspeise.

7 Wochenarbeitszeit 38,5 Stunden: Ich arbeite _____ 8 Stunden. Freitags sind es nur 6 bis 7. Meine Arbeitszeit beträgt _____ 38,5 Stunden.
E-Mails: Ich bearbeite meine E-Mails _____, also ungefähr achtmal _____. Meine Kollegin bearbeitet ihre Mails morgens, mittags und abends, also _____ täglich. Ich finde, das ist nicht genug. _____ bearbeiten Sie Ihre E-Mails?
Monatsbesprechung: Die Monatsbesprechung ist _____. Aber oft haben wir zwei Besprechungen pro Monat, manchmal haben wir gar keine. _____ sind es aber immer zwölf.

8
☐ Ich kann morgen bis 15.00 Uhr _____.
○ Gut, dann _____ ich 50 Stück. Was _____ das Stück?
☐ Der Stückpreis beträgt € 22,00. Bei einer Bestellung von zehn Stück zahlen Sie nur € 20,00 pro Stück. Bei 50 Stück _____ Sie also € 100,00.
○ Okay. Bitte _____ Sie den Preis und den _____termin per E-Mail.

9 _____ will Frau Bühler 50 000 Blatt kaufen. Herr Weiland sagt, das ist _____. Er glaubt, 30 000 _____ sind _____ glaubt Frau Bühler das auch. _____ sagt aber Frau Kaminski, wir brauchen eine _____ bestellt sie _____. Frau Bühler ist unsicher, aber _____ 50 000 Blatt sind vielleicht _____. 50 000 _____. Aber 30 0000 sind sicher _____.

10 Über die Falschlieferung möchte ich _____ mit Ihnen sprechen. Aber _____ das Angebot für Sistema hat Zeit. Es ist wirklich nicht _____. Ist die Lieferung an Firma Robertson schon weg? Die ist wirklich sehr _____. So, Herr Gunthart, auf Wiedersehen. Ich habe es _____. Zu Hause braucht man mich _____.

Lektion 6

können, kann WAS wollen, will WAS möchte_ WAS hätte_ gern WAS	□ Frau Bergmann, wann **wollen** Sie das Angebot besprechen? ○ Jetzt geht es nicht. Ich **will/möchte** es zuerst lesen. Aber um 14.00 Uhr **kann** ich. Vielleicht **kann** die Sache so lange warten. **Können** Sie um 14.00 Uhr? Ich **möchte** bitte / **hätte gern** 200 Gramm Fleischwurst. Ich **hätte gern** mehr Zeit. *Das **möchte** ich / **hätte** ich gern. Aber das da **möchte** ich nicht.*
telefonieren benutzen WAS funktionieren	□ Kann man hier **telefonieren**? ○ Ja, Sie können mein Handy **benutzen.** □ Vielen Dank. Und wie **funktioniert** das?
alle_ alle (sein)	Hier hast du **alle** Angaben. Mehr brauchst du nicht. Das Bier ist **alle** und Apfelsaft fehlt auch. Ist das **alles** oder gibt es noch etwas?
das Werkzeug, -e das Gerät, -e die Maschine, -n	Im **Werkzeug**koffer finden Sie alles, was Sie brauchen. Welche Nummer hat dein Faxgerät? Wie funktioniert denn die Kaffeemaschine?
offen offen für	Die Türen und die Fenster sind **offen.** Ich bin **offen** für Ihre Vorschläge. Bitte!
passen	Die Schuhe **passen** genau.

11 □ Wie lange _____ Sie? Haben Sie bis 16.00 Uhr Zeit?
○ Ja, das geht. Ich _____ erst einmal das Angebot fertig machen.
□ Wie Sie _____.
○ Hier sind die Verkaufszahlen Januar. Die _____ Sie haben.
□ Ich _____ auch _____ die Verkaufszahlen Februar. _____ ich die auch haben?
○ _____ Sie die Zahlen jetzt lesen? Wir _____ eine kleine Lesepause machen.
□ Nein, nein. Die Zahlen _____ ich ja im Zug lesen.

12 _____ Mitarbeiter haben Faxgeräte, nur Herr Gleichsam nicht. Aber sie _____ sie nicht oft. Normalerweise _____ sie oder schreiben eine E-Mail. Man _____ heute keine Schreibmaschinen mehr; man schreibt fast _____ mit dem Computer. Aber heute _____ der Drucker nicht. Die Druckerpatronen sind _____.

13 Der Fotokopierer ist ein Kopier_____.
Google ist eine Such_____.
Der Computer ist ein Spiel- und Arbeits_____.
Der Terminkalender ist ein Planungs_____.
Die Bürola ist eine Büro_____.

14 Die Tür / Das Buch / Das Programm / Das Büro / Die Dose / der Beutel / ... ist _____.
Ich bin _____ für neue Ideen / gute Vorschläge / Werbung / andere Meinungen / ...

15 Die Schuhe _____.   Der Schreibtisch _____.
Der Preis _____.   Die Antworten _____ genau.
Das Programm _____ nicht.   Die Bilder _____ gut.

Lektion 6

überall die Werbung der Preis, -e die Leistung, -en das Sonderangebot, -e günstig vergleichen WAS WOMIT	Käufer kaufen nicht immer und **überall**. Der sparsame Käufertyp und der spontane Käufertyp haben Interesse an **Werbung**. Für den Sparsamen bedeutet der **Preis** viel, der Spontane sieht auf die **Leistung**. Der Sparsame kauft **günstige Sonderangebote**, der Spontane liebt exklusive Dinge. Der Planvolle **vergleicht Preis** und **Leistung**. Er kauft nur, was er braucht.
letzte_ erste_	Er will immer das **letzte** Wort haben. Das ist das **erste** und das **letzte** Mal.
exklusiv praktisch modern schön einfach	Der Porsche Carrera ist **exklusiv** und teuer. Aber **praktisch** ist er nicht. Das Bild ist sicher sehr **modern**. Aber ich finde es nicht **schön**. Das Zimmer ist **einfach** und **praktisch**. Ich finde es **einfach** prima. Und es ist **schön** billig.
das Lebensmittel das Verkehrsmittel das Arbeitsmittel das Sprachmittel	**Lebensmittel:** Brot, Obst, Gemüse, ... **Verkehrsmittel:** Bus, Zug, Flugzeug, ... **Arbeitsmittel:** Papier, Werkzeuge, Computer, ... **Sprachmittel:** Nomen, Verben, Adjektive, ...
alle (Leute) alle zehn Minuten	**Alle** Konferenzteilnehmer sind da. **Alle** drei Wochen machen wir eine Party.

16 Ich kenne das Modell XP24 aus der Internet-_____. Ich glaube, der _____ und die _____ sind in Ordnung. Bei Gutpreis gibt es das Modell XP23 als Sonderangebot besonders _____. wirklich sehr billig. Aber die beiden Modelle kann man nur schwer _____. Sie sind ziemlich verschieden. Und Gutpreis gibt es nicht _____. In Neustadt zum Beispiel gibt es keinen Gutpreis.

17 Für die IL-Pac-6 brauchen Sie keinen Programmierer. Die Dateneingabe ist ganz _____. Sie drücken _____ auf „Eingabe" und starten das Eingabemenü. Und hier starten Sie das zweite. Die Eingabe ist _____.
_____. Sie glauben vielleicht, die Maschine ist sehr _____ und ganz _____.
teuer. Ja, sie ist exklusiv und sie ist modern, aber der Preis ist okay. Und ich finde sie sehr, sehr _____. Wie finden Sie das Design? Tja, die IL-Pac-6 ist das _____ Wort in Bürotechnik.

18 ○ Welche _____ benutzt du täglich?
□ Keine. Ich gehe zu Fuß.
○ Welche _____ fehlen dir?
□ Verben, Verben und noch einmal Verben.
Hier ist Papier, hier sind Stifte. Brauchen wir noch andere _____?
Ich gehe einkaufen. Brauchst du auch _____? Brot, Obst oder so?

19 ○ Wie oft fährt der Bus?   ○ Sind _____ da?
□ Ich glaube, _____ zehn Minuten.   □ Nein, Herr Paulus ist nicht da.

Lösungen:

1 kauft – kauft – Einkaufszettel – einkaufen
2 brauchen – fehlen – brauchen – fehlen
3 genug – ist ... da – Gibt es – Apfelsaft – Flaschen – Apfelsaft – genug – wenig
4 Bier – Getränke/Mineralwasser/Bier – Mineralwasser – Mineralwasser – Äpfel/Apfelsinen – Apfel/Apfelsinen/Äpfel – Äpfel – Apfelsinen
5 Dosen – Flaschen – Dosen – Flaschen – Dosen – Glas – Beutel – Tafeln – Becher – Tube
6 Joghurt – Milch – Joghurt
7 täglich – wöchentlich – stündlich – täglich/pro Tag – drei Mal/dreimal – Wie oft – monatlich – Jährlich/Pro Jahr
8 liefern – bestelle – kostet – sparen – bestätigen – Liefer
9 Zuerst/Zunächst – zu viel – Blatt – genug – Zunächst/Zuerst – Dann – Palette – schließlich – Blatt – zu viel – zu wenig
10 dringend – eilig/dringend – dringend/eilig – eilig – dringend
11 können – möchte/will – wollen – können – hätte ... gern – Kann – Wollen/Möchten – können – kann
12 Alle – benutzen – telefonieren – benutzt – alles – funktioniert – alle
13 gerät – maschine – gerät – werkzeug – maschine
14 offen – offen
15 linke Spalte: passen – passt – passt; rechte Spalte: passt – passen – passen
16 Werbung – Preis – Leistung – günstig – vergleichen – überall
17 einfach – einfach – erste – praktisch – exklusiv/modern – modern/exklusiv – schön – schön – letzte
18 Verkehrsmittel – Sprachmittel – Arbeitsmittel – Lebensmittel
19 alle – alle

Lektion 7

Vokabeln

suchen WEN/WAS
gehen WIE
der Stadtplan, -pläne
der Weg, -e
links
rechts
geradeaus
ungefähr
der Meter, –
die Auskunft, -künfte

1
○ Ich **suche** den Weg zum Bahnhof.
□ Hier ist ein **Stadtplan**. Da können Sie den **Weg** sehen.
○ Muss ich **links gehen**?
□ Nein, gehen Sie **geradeaus**.
○ Wie weit muss ich gehen?
□ **Ungefähr 800 Meter**. Dann gehen Sie **rechts**.
○ Vielen Dank für die **Auskunft**.

Entschuldigung
kommen WIE WOHIN
besichtigen WAS
entlang
da (WO)
gehen WOHIN
über
die Richtung, -en
die Brücke, -n

2
○ **Entschuldigung**, wie **komme** ich in die Stadt? Ich möchte das Zentrum **besichtigen**.
□ Gehen Sie hier geradeaus, 500 Meter die Hauptstraße **entlang. Da gehen** Sie links **über** einen Parkplatz und weiter in **Richtung** Bahnhof. Am Bahnhof gehen Sie **über** die **Brücke. Da** ist das Zentrum.

der/das/die erste
zweite
dritte
vierte
...
siebte
...te
die Straße, -n
die Einfahrt, -en
Ausfahrt, -en
Süd_
Ost_

3
Nehmen Sie die **erste** Straße rechts und dann die **dritte** Straße links. Gehen Sie an der **vierten Straße** wieder links.

Die **siebte Ausfahrt** ist die Ausfahrt Berlin Mitte.
Nehmen Sie die **Einfahrt Süd**. Fahren Sie in Richtung **Osten**.

Übungen

1
○ Ich hätte gern eine _____,
Ich _____ das Stadion. Hast du vielleicht einen _____?
□ Den _____ zum Stadion? Also, hier ist der Bahnhof. Du gehst _____. Dann nimmst du die zweite Straße und dann die erste Straße _____. Dann _____ du noch 100 _____. Da ist links das _____ Stadion.

Stadion

Bahnhof

2
○ _____, wie _____ ich zum Reichstag?
□ Gehen Sie hier an der Spree _____ Sie in _____ Hauptbahnhof. Nehmen Sie die zweite Straße rechts. Da ist eine _____. Gehen Sie _____ die Spree.
_____ sehen Sie schon den Reichstag.
○ Kann man den Reichstag _____?
□ Ja, das geht. Aber es gibt immer viele Besucher.

3
○ Zur Weidrich GmbH? Fahren Sie diese _____ entlang. Nehmen Sie _____ dann die _____ rechts. Das ist die Ausfahrt _____. Fahren Sie da noch ungefähr 500 Meter. Auf der linken Seite sehen Sie die _____ zur Weidrich GmbH.

Weidrich

Glossary

der Flughafen, -häfen	
der Bahnhof, -höfe	
die U-Bahn, -en	
die U-Bahn-Station, -en	
die Haltestelle, -n	
der Supermarkt, -märkte	
das Krankenhaus, -häuser	
der Park, -s	
das Stadion, Stadien	
das Schwimmbad, -bäder	
das Kino, -s	
das Museum, Museen	
die Bank, -en	
das Café, -s	
der Betrieb, -e	
die Abteilung, -en	
der Kundenservice	
das Marketing	
die Werbung	
das Sekretariat, -e	
der Leiter, – / die Leiterin, -nen	
der Hausmeister, –	
das Labor, -s	
die Telefonzentrale, -n	
der Empfang	
die Cafeteria, -s	
die Toilette, -n	
die linke/rechte Seite	

Beispielsätze

Die Fahrt zum **Flughafen** dauert 30 Minuten.
Der **Bahnhof** ist in der Stadtmitte.
Nimmst du die **U-Bahn** oder die Straßenbahn?
Nehmen Sie die U-Bahn. Zur **U-Bahn-Station** ist es nicht weit.
Die **Haltestelle** Linie 6 ist vor dem Bahnhof.

Gemüse und Obst kaufe ich im **Supermarkt.**
Das **Krankenhaus** ist in einem großen **Park.**
Das Sporttraining ist am Freitagabend im **Stadion.**
Das **Schwimmbad** ist sonntags bis 18.00 Uhr geöffnet.
Gehen wir heute Abend zusammen ins **Kino?**
Im **Museum** gibt es Bilder aus Deutschland und Frankreich.
Ich brauche Geld. Gibt es hier eine **Bank?**
Du gehst zur Bank. Ich warte im **Café.**

Der **Betrieb** hat ungefähr 50 Mitarbeiter.
○ In welche **Abteilung** möchten Sie?
□ In den **Kundenservice** zu Herrn Kieling.
Herr Nolte ist der **Marketing**leiter. Er ist auch für die **Werbung** zuständig.
Im **Sekretariat** arbeitet Frau Hürling.
Frau Scheffel arbeitet bei Weidrich als Vertriebsleiterin.
Der **Hausmeister** hat sein Büro in der zweiten Etage.
Die Leute im **Labor** machen heute drei Tests.
Die **Telefonzentrale** und der **Empfang** sind im Erdgeschoss.
Wir haben keine Kantine, aber eine kleine **Cafeteria** für Mitarbeiter und Besucher.
Wo bitte ist hier die Herrentoilette?
○ Ist Zimmer 31 in der dritten Etage auf der **linken Seite?**
□ Nein, auf der **rechten Seite.**

Übungen

4

✈ Wie komme ich zum _____ ?
Ⓤ Er nimmt die _____ und fährt bis zur Olympiastadion.
Ⓗ Wo ist hier die nächste Bus-_____ ?
Der _____ ist nicht weit.

5

Ich gehe in den _____ in der Stadtmitte.
Wo ist das _____ ?
Am Sonntag gehe ich ins _____
Das _____ ist montags geschlossen.
Im _____ sind am Samstag 50 000 Besucher.
Die Sekretärin geht zur _____ .
Heute Abend gehen wir ins _____
Ich brauche noch Brot. Das kaufe ich im _____ .
Christel trifft Edith im _____ .

6 Mein Betrieb

Die Besucher kommen direkt zum _____ . Da ist auch die _____ . Die _____ sind im Erdgeschoss rechts. Da hat auch der _____ sein Büro. Herr Pfeifer ist der Betriebs-_____ . Er ist für den Gesamt-_____ zuständig. Das _____ von Herrn Pfeifer ist auch in der 1. Etage links. Die Abteilung _____ ist in der 2. Etage links. Auf der rechten _____ gibt es eine _____ . Dr. Zahn arbeitet im _____ . Das ist im Erdgeschoss auf der _____ Seite. Der _____ ist in der 1. Etage rechts. In dieser _____ arbeiten fünf Mitarbeiter.

Marketing/ Werbung		Cafeteria	**2**
Betr.ltg (Pfeifer)	Sekr. (Otto)	Kundenserice	**1**
Labor (Dr. Zahn)			
Tel.zentr.r.	Empfang	Toiletten	Haus-meister	EG

Lektion 7

das Erdgeschoss, -e
die Etage, -n
die Treppe, -n
der Aufzug, -züge
der Raum, Räume
das Zimmer, –
die Tür, -en

Den Empfang finden Sie im **Erdgeschoss**.

○ Das Büro von Herrn Mayer ist in der 4. **Etage**. Sie können die **Treppe** nehmen.
□ In die 4. Etage nehme ich lieber den **Aufzug**.

Das Verkaufstraining ist in Konferenzraum 2.
Die Besucher warten bitte in **Zimmer** 12.
Bitte schließen Sie die **Tür**.

---

das Personalbüro, -s
die Verwaltung
der Sport /Park-/Tennisplatz, -plätze
die Garage, -n
das Werktor, -e
das Lager, –
die Halle, -n

Das **Personalbüro** ist für die Mitarbeiter zuständig. Sie finden es in der **Verwaltung**.
Wir haben auch einen **Sportplatz**. Da spielt unser Betriebsteam Fußball.
Das Auto steht in der **Garage**.
Gehen Sie zum Besucherempfang am **Werktor**.
Das Materia**llager** ist in **Halle** 3.

---

7 ○ Ist die Toilette in der ersten Etage?
□ Nein, die finden Sie im _____. Es ist die dritte _____ links.
○ Wo ist das Marketing?
□ In Zimmer 41 in der 4. _____.
○ Wie komme ich da hin?
□ Fahren Sie mit dem _____. Sie können aber auch die _____ nehmen.

Hier ist das Kursbüro, gleich links ist das Lehrer_____. Die Unterrichts_____ finden Sie in der ersten und der zweiten Etage.

8

```
        Garagen
  ┌─────────┐
  │ Personal│
  │         │
  │Verwaltung│
┌────┐ ┌──P──┐
│Lager│     │
│     │  ←  │
│Halle 2│ x │
┌────────┐
│Sportplatz│
│  Halle 1 │
```

Sie sind hier am _____. Fahren Sie an der _____ entlang. Dann kommen Sie direkt zum _____. Das _____ ist in Halle 2. Ganz links ist _____ 1. Das _____ ist eine Abteilung in der Verwaltung. Ganz rechts sind die _____ für die Firmenautos. Wir haben auch einen _____ – wenige Betriebe haben so etwas.

Lösungen:

1 Auskunft – suche – Stadtplan – Weg – geradeaus – links – rechts – gehst – ungefähr – Meter

2 Entschuldigung – komme – entlang – Gehen – Richtung – Brücke – über – Da – besichtigen

3 Straße – dritte – Ausfahrt – Ost – Einfahrt

4 Flughafen – U-Bahn – U-Bahn-Station – haltestelle – Bahnhof

5 Park – Krankenhaus – Schwimmbad – Museum – Stadion – Bank – Kino – Supermarkt – Café

6 Empfang – Telefonzentrale – Toiletten – Hausmeister – leiter – Betrieb – Sekretariat – Marketing/Werbung – Seite – Cafeteria – Labor – Erdgeschoss – linken – Kundenservice – Abteilung

7 Erdgeschoss – Tür – Etage – Aufzug – Treppe – zimmer – räume

8 Werktor – Verwaltung – Parkplatz – Lager – Halle – Personalbüro – Garagen – Sportplatz

Lektion 8

um acht, um neun, um zehn, ...
um eins
viertel
halb
nach
vor
in (... Minuten/Stunden/...)
halb_
spätestens
frühestens

○ Es ist schon **Viertel nach** elf. Um **halb** zwölf müssen wir fahren.
□ Ich bin **in** fünf Minuten fertig. Wann beginnt das Gespräch?
○ **Um zwanzig vor eins.**
□ Ich glaube, wir sind **spätestens** in einer **halben** Stunde da.
○ Das glaube ich nicht. Wir sind **frühestens** in 45 Minuten da.

---

der Film, -e
das Konzert, -e
der Vortrag, Vorträge
die Oper, -n
spät

Im Kino gibt es einen guten **Film**.
Hörst du gern Musik? Heute Abend gibt es ein **Konzert**.
Ich möchte den **Vortrag** in der Universität hören.
○ Wir müssen gehen. Die **Oper** beginnt um acht Uhr. Es ist schon Viertel vor acht.
□ Was, schon so **spät**?

---

frühstücken
schon
erst
spazieren gehen
der Spaziergang, -gänge
das Tennis
spielen
schwimmen

○ Was macht ihr am Sonntag?
□ Um acht **frühstücken** wir.
○ **Schon** um acht Uhr? Sonntags frühstücken wir **erst** um zehn.
□ Um zehn **gehen** wir oft im Park **spazieren**.
○ Einen **Spaziergang** machen wir sonntags auch.
□ Spielst du sonntags **Tennis**?
○ Ja, manchmal **spiele** ich auch Tennis.
□ Ich gehe lieber **schwimmen**.

1

○ Wann kommst du? – □ Um _____ .
○ Wie spät ist es ? – □ _____ _____ zwei.
○ Es ist jetzt _____ zehn.
○ Und wann beginnt die Konferenz?
○ Ungefähr um zehn.
○ Also _____ einer _____ Stunde.
○ Ja, _____ zehn.
□ Kannst du nicht _____ um zehn da sein, oder vielleicht schon um viertel vor zehn?
○ Kommst du um _____ zum Mittagessen?
□ Ja, vielleicht schon um halb _____ .

2

einen _____ sehen
einen _____ hören
in die _____ gehen
ein _____ besuchen

○ Haben wir noch viel Zeit bis zur Abfahrt?
□ Nein. Es ist schon _____ .

3

○ Sören ist morgens _____ um 6.00 Uhr auf dem Sportplatz. Da _____ er eine Stunde Tennis. Dann geht er nach Hause und _____ .
Edith frühstückt _____ um 8.30 Uhr. Dann geht sie eine halbe Stunde _____ am Morgen brauche ich _____ . Sie sagt: „Den _____ einfach!" Am Sonntag geht sie manchmal _____ . Das Schwimmbad ist nicht weit. _____ spielt sie nicht gern.

müssen
können

Der Zug fährt in 15 Minuten. Ihr **müsst** schnell zum Bahnhof gehen.
Du **musst** im Vertrieb helfen. **Kannst du das bitte machen?**

4 ○ Heute _____ wir die Angebote für die Sperling GmbH schreiben. Jetzt ist aber ein Kunde da. Den _____ ich begrüßen. _____ wir die Angebote morgen noch erledigen?
□ Ich weiß, die Angebote sind dringend. Die _____ ihr machen. Aber wer _____ jetzt helfen? Diese Frage _____ ich nicht beantworten. Das _____ du den Chef fragen.

---

lösen (Problem, -e) WAS
erledigen WAS
der Arzt, Ärzte
einhalten WAS
verschieben WAS
absagen WAS
delegieren WAS
übernehmen WAS
die Wartung
der Auftrag, Aufträge
dringend

Ich muss ein Termin**problem lösen**. Morgen muss ich die Servicearbeiten bei der Firma Kolbe **erledigen**. Aber da habe ich einen Termin beim **Arzt**: Den Termin muss ich **einhalten**. Den kann ich nicht **verschieben**. Aber die **Wartung** bei Kolbe können wir auch nicht **absagen**. Das sind **dringende** Arbeiten. Kann ich den **Auftrag delegieren**? Herr Weiß, können Sie das vielleicht **übernehmen**?

5 ○ Morgen muss Urs Tests im Labor machen. Diesen Auftrag kann er morgen aber nicht _____. Er muss morgen zum _____. Diesen Termin muss er _____. Die Tests sind aber _____. Aber er kann sie _____: die Testläufe. Aber er muss einen Termin in Chur _____ sarbeiten erledigen. Aber die sind nicht dringend. Diesen _____ kann er verschieben. So _____ können sie das Problem _____.
Ein Kollege _____. Da soll er

---

die Dienstreise, -n
die Vorbereitung, -en
die Besichtigung, -en
gegen
empfangen WEN
helfen

Der Chef macht nächste Woche eine **Dienstreise**. Frau Schilling, übernehmen Sie bitte die **Vorbereitungen**. Übermorgen kommen **gegen** zehn Uhr Besucher aus Ungarn. Sie möchten eine Betriebs**besichtigung** machen. Herr Künzel, können Sie die Gruppe **empfangen**? Die Praktikantin kann **helfen**.

6 ○ Frau Kunz macht eine Reise nach Paris, aber nicht privat. Sie macht eine _____. Die Reise _____ übernimmt der Vertrieb, und das Sekretariat _____. In Paris _____ ein Geschäftspartner Frau Kraus. Sie möchte den Betrieb kennenlernen und macht eine Betriebs_____. Der Rückflug ist übermorgen _____ 17.00 Uhr.

Kalenderwoche, -n (KW)
liefern WAS
zurzeit
der Kundendienst
mitarbeiten
abschicken WAS

In **Kalenderwoche 32** müssen wir nach Österreich **liefern**. **Zurzeit** haben wir viel Arbeit. Alle Kollegen im **Kundendienst** müssen also in der Produktion **mitarbeiten**. Dann können wir die Geräte schon in zwei Wochen **abschicken**.

7 ○ _____ gibt es im Verkauf viel Arbeit. Zwei Mitarbeiter aus der Abteilung _____ müssen im Verkauf _____. Wir müssen pünktlich _____. Der letzte Termin ist in _____ 52. Da müssen wir spätestens alle Bestellungen _____.

die Nachricht, -en
der Vorschlag, Vorschläge
besuchen WAS
üben WAS
los

der Monat, -e
der Januar
der Februar
der März
der April
der Mai
der Juni
der Juli
der August
der September
der Oktober
der November
der Dezember

Bitte schicken Sie eine **Nachricht** per E-Mail.
Ich mache einen **Vorschlag**. Wir gehen zusammen ins Kino.
Frau Huang **besucht** in Lüneburg einen Deutschkurs. Da **üben**
die Teilnehmer Hören und Lesen.
○ Was ist **los**?
□ Nichts. Alles in Ordnung!

Im **Januar** ist es kalt in Europa.
Der **Monat Februar** ist kurz. Er hat nur 28 Tage.
○ Wann fahren Sie nach Berlin?
□ Am 31. **März** oder am 1. **April**. Genau weiß ich es noch
nicht.
○ Wie lange bleiben Sie hier?
□ Ungefähr vier Wochen. Von Mitte **Mai** bis Mitte **Juni**.
○ Hast du im **Juli** frei?
□ Nein, im **Juli** besuche ich einen PC-Kurs.
○ Das machen wir in KW 33. – □ Gut, also im **August**.
Hat der **September** 30 oder 31 Tage?
Ich fahre vom 26. **Oktober** bis zum 2. **November** nach Graz.
Der **Dezember** ist der letzte Monat im Jahr.

⑧ einen Vortrag, einen Kurs, ein Konzert _____
Grammatik, Sprechen und Schreiben _____
Was machen wir morgen? Hast du einen _____?
○ Was ist _____?
□ Ich weiß auch nicht. Ich habe auch noch keine _____.

⑨
06.07.	_____
12.04.	Heute ist der 6. _____
25.12.	Am 12. _____ beginnt der Kurs.
18.08.	Am 25. _____ arbeiten wir nicht.
31.05.	Vom 25. Juli bis zum 18. _____
02.10.	Der 31. _____ ist ein Sonntag.
22.06.	Ich bleibe bis zum 2. _____
15.03.	Der neue Kollege kommt am 22. _____
28.02.	Mitte _____
11.11.	Das ist der letzte Tag im _____
14.01.	Heute ist der 11. _____
30.09.	Ich komme in einer Woche, am 14. _____
20.07.–19.08.	Ich bestätige den Termin am 30. _____
	○ Wie lange dauert die Reise?
	□ Genau einen _____.

Lösungen:

① eins – Viertel vor – halb – in – halben – frühestens – nach –
spätestens – eins – eins

② Film – Vortrag – Oper – Konzert – spät

③ schon – spielt – frühstückt – erst – spazieren – Spaziergang –
schwimmen – Tennis

④ müssen – muss – Können – müsst – kann – kann – musst

⑤ erledigen – Arzt – einhalten – dringend – verschieben – delegieren –
übernimmt – absagen – Wartung – Auftrag – lösen

⑥ Dienstreise – vorbereitung(en) – hilft – empfängt – besichtigung –
gegen

⑦ Zurzeit – Kundendienst – mitarbeiten – liefern – Kalenderwoche –
abschicken

⑧ besuchen – üben – Vorschlag – los – Nachricht

⑨ Juli – April – Dezember – August – Mai – Oktober – Juni – März –
Februar – November – Januar – September – Monat

Lektion 9

die Farbe, -n

rot — violett
blau — hellgrün
grün — dunkelgrün
gelb
orange
rot

schwarz — hellgrau
grau — dunkelgrau
weiß — hellbraun
braun — dunkelbraun

hell
dunkel

Die Hose passt mir, aber die **Farbe** gefällt mir nicht.
der **Rot**wein
der **Weiß**wein
das **Schwarz**brot
das **Grau**brot
das **Weiß**brot
Coca Cola ist **braun.**
Bananen sind **gelb.**
Äpfel sind **grün** oder **rot.**
Karotten sind **gelb** oder **orange.**
Die Nationalfarben von Frankreich sind **blau-weiß-rot.**
Rotwein ist **hellrot** oder **dunkelrot.**

1 Kaffee ist _____ oder schwarz.
Bananen sind _____. In Kolumbien gibt es aber auch _____ braune Bananen.
Tomaten sind normalerweise _____. In Spanien können
Salattomaten aber auch _____ sein.
Joghurt ist _____ wein ist _____. Coca Cola ist _____, aber nicht weiß.
Die Dienstuniform der Deutschen Bahn AG ist _____ blau.
_____ wein ist oft dunkelrot, er kann aber auch _____ rot
sein.
Schwarzbrot ist _____ oder _____, aber nicht
_____.
Die National_____ steht mir nicht. Ich nehme den grauen Pullover nicht.
Die National_____ von Frankreich sind _____ und _____.
Die holländische Fußball-Nationalelf trägt _____. Deshalb nennt
man sie „Oranjes". Die italienische Fußball-Nationalelf trägt _____.
Deshalb nennt man sie „Azurri".

---

gefallen, gefällt WEM
passen WEM
stehen WEM

Das ist schön. Das **gefällt** mir.
Die Größe ist richtig. Die Schuhe **passen** Ihnen.
Das ist nicht Lisas Farbe. Die Farbe **steht** ihr nicht.

2 Welche Farben _____ dir? Gefällt dir Grün? Wie
_____ dir Dunkelblau? Aber die Frage ist ja nicht: „Was
_____ dir?" Die Frage ist: „Was _____ dir?"
_____ dir zum Beispiel Gelb und Orange? Grau
_____ dir bestimmt. Also, ich glaube, die graue Hose da hinten, die
_____ steht dir. Und ich glaube, die _____ dir auch. Die Größe ist richtig.
Aber die dunkelblaue und die grüne Hose _____ dir auch.

---

denken WAS
glauben WAS
wissen, weiß WAS
sagen WEM WAS
fragen WAS
zeigen WEM WAS

Was **denkst** du gerade? Ich **glaube,** du **denkst,** die Hose
steht mir nicht.
Wisst Ihr das oder **wisst** ihr das nicht?
Ich **weiß,** was du **denkst,** aber ich **sage** es nicht.
Fragen Sie doch Herrn Müller. Der **weiß** das.
Ich kann Ihnen das Modell auch in einer anderen Farbe
zeigen.

3 Die Verkäuferin _____ Irina einen Rock. Aber sie
_____ den Preis nicht. Irina _____, der Rock ist
sehr teuer, und _____. „Ich _____, der steht mir
nicht." Aber der Rock ist Sonderangebot. Das _____ Irina nicht.
Also _____ Irina die Verkäuferin: „Haben Sie auch
Sonderangebote?" Da _____ ihr die Verkäuferin den Rock noch
einmal und _____: „Das ist ein Sonderangebot.
_____ Sie, was der Rock kostet? Nein? Der kostet 25 Euro."

Lektion 9

der Anzug, Anzüge
der Mantel, Mäntel
der Schuh, -e
die Hose, -n
die Krawatte, -n
der Schal, -s
das Hemd, -en
die Jacke, -n
der Pullover, –
das Sakko, -s
der Rock, Röcke
das Kleid, -er
die Bluse, -n
der Blazer, –
die Farbe, -n

lang
kurz

Herrenbekleidung:

sportlich: **Hose, Hemd, Pullover,** bequeme **Schuhe**

elegant: **Anzug** oder **Sakko** mit **Hose, Hemd** mit **Krawatte**
und elegante **Schuhe**

dienstlich im Büro: Man kommt sportlich oder elegant,
vielleicht mit **Jacke**

auf der Straße im Dezember: **Mantel, Schal**
auf der Straße im Juli: sportlich

Damenbekleidung:

sportlich: **Rock** oder **Hose, Bluse, Hemdbluse** oder
Pullover, bequeme **Schuhe**

elegant: **Kleid** oder **Blazer** mit **Hose** oder **Hosenanzug,**
(Hemd)**Bluse,** elegante **Schuhe**

auf der Straße im Dezember: **Mantel, Schal**
auf der Straße im Juli: sportlich

Farben:

elegant: dunkle **Farben**
sportlich: helle **Farben**

④

⑦ ⑥ ⑬ ⑩ ⑪ ② ⑫ ③ ④ ⑤ ① ⑧ ⑨

Heute kommen fast alle Damen elegant zur After-Work-Party. Lisa trägt einen kurzen
weißen (9) _____. Silke kommt mit einem hellroten (3) _____
elegant. Ihre dunkelbraunen (8) _____ passen sehr gut zu der Jacke.
Carmen trägt eine graue (7) _____ und dazu eine violette (4) _____
_____ bluse. Zu der Hemdbluse trägt sie einen hellgrünen (5) _____
_____. Heike kommt mit einem langen dunkelblauen (10) _____
_____ und einem orangen (5) _____. Manuela kommt
natürlich mit ihrem hellgelben (1) _____. Hellgelb steht ihr besonders
gut. Tamara trägt genau wie Carmen einen violetten (12) Hosen _____.
Aber der ist ihr viel zu klein. Und außerdem trägt sie eine dunkelrote (4) _____
Hemd _____. Aber die _____ steht ihr nicht. Die Herren
kommen alle gleich. Sie tragen das dunkelblaue Club-(11) _____,
bequeme (13) _____ und hellgelbe (6) _____.

⑤ Die Fahrt ist zu _____ für die Kinder. Wir machen zwei
Pausen von zehn Minuten und eine _____
von einer halben Stunde.
○ Für 20 Personen ist der Tisch nicht _____ genug.
□ Ja, ich finde ihn auch zu _____.
○ Ich habe eine Idee. Wir nehmen einfach drei
Tische.
□ Drei Tische sind zu _____.

Drei Stunden für eine Besprechung. Das ist zu **lang.** Fünf
Minuten sind natürlich nicht genug. Das ist zu **kurz.**
Der Fußweg zur Haltestelle ist ganz **kurz,** nur 100 Meter. Zum
Bahnhof ist der Weg natürlich **lang.** Das ist weit.
Das a in „habe" ist **lang.** Das a in „hat" ist **kurz.**

6

der/die Polizist/in, -en/-nen
der/die Zugbegleiter/in, -/-nen
der/die Labortechniker/in, -/-nen
der/die Arzt/Ärztin, Ärzte/Ärztinnen
tragen, trägt WAS
die Uniform, -en
der Arbeitsanzug, -anzüge
der Schutzanzug, -anzüge
der Kittel, –
die Kleidung

Polizisten und **Zugbegleiter tragen** eine **Uniform**.
Labortechniker tragen im Labor normalerweise einen weißen **Kittel**.
Kinderärzte arbeiten heute nicht mehr im weißen **Kittel**.
Zahnärzte **tragen** oft einen grünen **Kittel**.
Montagearbeiter **tragen** einen **Arbeitsanzug** oder manchmal auch einen **Schutzanzug**.
Was **tragen** Sie im Dienst?

Die _____ der Deutschen Bahn AG tragen im Dienst immer eine _____. Die _____ sind für Männer und Frauen ziemlich gleich, aber nicht ganz.
Thomas Kraus arbeitet bei Dow Chemical als _____. Im Labor _____ er einen weißen _____. Er arbeitet aber auch manchmal im Büro. Da _____ er den weißen _____ normalerweise nicht.
Wie alle Montagearbeiter _____ auch Henny Marschall einen blauen _____. Sicherheitsschuhe, Schutzbrillen und _____ gibt es bei Evotec nur an wenigen Montagearbeitsplätzen. Henny Marschall zum Beispiel trägt keinen Schutzanzug.
Dr. Kurt Zeisig trägt als Zahnarzt _____ einen grünen _____.
Die Verkehrs_____ tragen in Deutschland eine grüne Uniform.

7

der Kursbeginn
das Kursende
die Kursdauer
der Kurstermin, -e
der Kurspreis, -e
die Kursgebühr, -en
das Kursziel, -e

das Kursprogramm, -e
der Kurstag, -e

Der Kurs beginnt morgen. Also: **Kursbeginn** morgen.
Das Kurs ist am Freitag zu Ende. Also: **Kursende** Freitag.
Der Kurs dauert drei Tage. Also: **Kursdauer** drei Tage.
Der Kurs ist am ersten, zweiten und dritten März. Also sind die **Kurstermine** der erste, zweite und dritte März.
Der Kurs kostet 95 Euro. Also: **Kurspreis/Kursgebühr** 95 Euro.
☐ Ich will Power-Point-Präsentationen lernen. Das ist mein **Kursziel**.
○ Da steht auch etwas von Excel.
☐ Ja, das **Kursprogramm** umfasst noch andere Schulungen.
○ An welchen Tagen habt ihr Unterricht?
☐ Unsere **Kurstage** sind montags, mittwochs und freitags.

○ Ab wann seid ihr in dem Kurs?
☐ Der _____ ist _____ morgen.
○ Und bis wann?
☐ Das _____ ist am 3. März.
○ Was wollt ihr in dem Kurs lernen?
☐ Unser _____ sind Power-Point-Präsentationen.
☐ Ja, hier ist das _____.
☐ Nein, der Samstag ist kein _____.
○ Wie lange dauert der Kurs?
☐ Die _____ beträgt zwei mal drei, also 6 Tage à 3 Stunden täglich, insgesamt 18 Stunden.
○ Und was kostet das?
☐ Der _____ beträgt 125 Euro.
☐ Ja, die _____ ist _____ nicht niedrig.
○ Das ist aber viel Geld.

8

hoch
groß
viel

niedrig
klein
wenig

Das Regal links ist zu **hoch**. Es ist viel zu **groß**.
Und das Regal rechts ist nicht **groß** genug.
Es ist zu **niedrig**. 80 cm, das ist zu **wenig**. Es ist nicht **hoch** genug. Es ist einfach zu **klein**.

Das Regal ist zu _____.
Es ist _____ zu _____.
180 cm sind zu _____.
80 cm sind natürlich zu _____.

Das Regal ist zu _____.
80 cm sind zu _____.
Es ist nicht _____ genug. Das Regal links ist zu _____ und das Regal rechts ist zu klein.

Lektion 9

lang	Der Vokal a in „haben" ist **lang**. Unsere Besprechungen sind immer zu **lang**.
lange	Wie **lange** dauert der Kurs? Bleiben Sie **lange** in Berlin?
bequem unbequem langsam schnell extensiv intensiv	Nehmen Sie den Zug. Da sitzen Sie **bequem** und können lesen. Oder Sie nehmen das Auto. Das ist auch nicht **unbequem** und auch nicht **langsam**. Aber so **schnell** wie der Zug ist es nicht. ○ Ich möchte von Kurstag zu Kurstag viel üben. Deshalb nehme ich einen **Extensivkurs**. □ Ich möchte schnell fertig sein. Deshalb nehme ich einen **Intensivkurs**.
früh spät	Morgen **früh** um acht bin ich da. Acht Uhr ist zu **früh**. Evotec kann erst nächste Woche liefern. Ich weiß, das ist **spät**, aber nicht zu **spät**. Für Ausspracheübungen ist es nie zu **früh**, aber oft zu **spät**.

9 Teresita Ballesteros wohnt und arbeitet schon _____ in Bozen. Drei Jahre, das ist _____. Aber für sie nicht _____ genug. Sie möchte noch fünf Jahre bleiben. Sie findet, das ist nicht zu _____. Ihre Kollegin Maria Fuentes will aber noch _____ bleiben. Aber sie weiß noch nicht genau, wie _____ sie bleibt.

10 ○ Hier sitzt man aber nicht gut. Der Sitz ist _____.
□ Ja, stimmt, _____ ist er nicht.
○ Fahren Sie doch nicht so _____!
□ Ich fahre doch nicht schnell. 100 Stundenkilometer, das finde ich _____.
○ Eine Stunde pro Woche? Das ist aber kein _____kurs.
□ Nein, im Programm steht es ja auch: Der Kurs ist _____, für Leute mit wenig Zeit.

11 ○ Mit dem ICE 96 bin ich um acht Uhr in Braunschweig. Oder ist das zu _____ das zu _____ gibt es nicht. Es gibt nur zu _____.
□ Ach, wissen Sie, ich finde, zu _____? Aber acht Uhr ist wirklich sehr _____. So _____ erwartet man Sie dort nicht. Mit dem ICE 123 sind Sie noch _____ genug in Braunschweig.

Lösungen:

1 braun – gelb – rot – rot – grün – weiß – braun – Weiß – gelb – dunkel – Rot – hell – braun – grau – schwarz – Grau – farben – blau – weiß – rot – orange – blau

2 gefallen – gefällt – gefällt – steht – Stehen – steht – passt – passen/stehen

3 zeigt – sagt – denkt – sagt – glaube – weiß – fragt – zeigt – sagt – Wissen

4 Rock – Kleid – Blazer – Schuhe – Hose – Hemd – Schal – Mantel – Schal – Pullover – anzug – bluse – Farbe/Bluse – Sakko – Hosen – Krawatten

5 lang – kurze – lange – lang – kurz – kurze – lang

6 Zugbegleiter – Uniform – Uniformen – Labortechniker – trägt – Kittel – trägt – Kittel – trägt – Arbeitsanzug – Schutzanzüge – arzt – kittel – polizisten

7 Kursbeginn – Kursende – Kursziel – Kursprogramm – Kurstag – Kursdauer – Kurspreis – Kursgebühr

8 linke Spalte: hoch/groß – viel – groß/hoch – hoch/viel – wenig/niedrig/klein; rechte Spalte: niedrig/klein – klein/niedrig/wenig – hoch/groß – groß/hoch

9 lange – lang – lang – lange – lang – lange – lange

10 unbequem – bequem – schnell – langsam – Intensiv – extensiv

11 früh – früh – spät – früh – früh – früh

Lektion 10

Vokabeln

willkommen
herzlich
geboren
der Geburtstag, -e
werden
...Jahre alt
der Glückwunsch, -wünsche
feiern WAS
die Feier, -n
mein_; dein_, sein_ ihr_;
unser_ euer/eur_

die Eltern
der Vater, Väter
die Mutter, Mütter
der Mann, Männer
die Frau, -en
das Kind, Kinder
der Sohn, Söhne
die Tochter, Töchter
der Bruder, Brüder
die Schwester, -n
der/die Enkel/in, - /-nen
leben

ledig
verheiratet
heiraten
bald
die Großeltern
der Großvater, -väter
die Großmutter, -mütter
väterlicherseits
mütterlicherseits
die Schwiegereltern
der Schwiegervater, - väter
die Schwiegermutter, -mütter
der Schwiegersohn, -söhne
die Schwiegertochter, -töchter

Guten Tag, meine Damen und Herren, **herzlich willkommen** im Kurs „Deutsch für den Beruf".

○ **Wann** bist du **geboren**?
□ Am 27.11.1998
○ Dann hast du heute **Geburtstag!**
□ Ja. Ich **werde** heute 10 **Jahre alt.**
○ Herzlichen **Glückwunsch** zum Geburtstag und alles Gute.
□ Danke.
○ Und wann **feiert** ihr **deinen** Geburtstag?
□ **Meine** Geburtstagsfeier ist morgen. **Meine** Freunde kommen.

Mein Name ist Werner Schill. Das sind meine **Eltern:**
Karl Schill ist mein **Vater**. Meine **Mutter** heißt Emma Schill.
Mein Name ist Emma Schill. Mein **Mann** heißt Karl. Ich habe zwei **Kinder**: einen **Sohn**, Werner Schill, und eine **Tochter.**
Sie heißt Gisela.
Ich heiße Gisela Schilling. Ich bin die **Tochter** von Karl Schill.
Seine **Frau** heißt Emma. Mein **Bruder** Werner ist 24 Jahre alt.
Meine Eltern **leben** noch.
Mein Name ist Karl Schill, der **Vater** von Werner und Gisela.
Ich habe zwei **Enkelinnen**. Werner hat keine **Kinder**, aber seine **Schwester** hat zwei **Töchter**, Ellen und Karin.

Werner Schill ist noch **ledig**. Er will aber **bald heiraten.** Seine Schwester ist schon **verheiratet.** Ihre **Schwiegereltern**, Herr und Frau Moser, wohnen in München.

Ellen und Karin: „Unsere **Großeltern mütterlicherseits** heißen Werner und Emma Schill. Unser **Großvater** und unsere **Großmutter väterlicherseits** wohnen in München."
Herr und Frau Moser: „Unsere **Schwiegertochter** Gisela ist sehr nett."
Karl und Emma Schill: „Unser **Schwiegersohn** kommt aus München. Da wohnen auch seine Eltern."
Jürgen Moser, der Mann von Gisela: „Ich möchte euch meinen **Schwiegervater**, Herrn Werner Schill, und meine **Schwiegermutter**, Frau Emma Schill, vorstellen."

---

1 Sehr geehrte Gäste, herzlich _____ im Hotel Esplanade. Unser Hotel _____ heute _____ 25. Jubiläum.

○ Lena, hast du heute _____?
□ Ja, ich bin am 6. Juli _____.
○ _____ Glückwunsch zum Geburtstag, Lena. Wie alt _____ du heute?
□ Ich werde neun _____.
○ Wann ist _____ Geburtstags _____?
□ Wir _____ morgen. Alle _____ Freunde kommen. Kommst du auch?
○ Leider kann ich nicht. Also nochmal alles Gute und herzliche _____.

2 Karl Schill ist der _____ von Emma Schill und der _____ von Werner und Gisela Schill. Er und seine _____ Emma Schill sind die _____ von Gisela und Werner. Die beiden – Gisela und ihr _____ Werner – sind ihre _____ von Ellen und Karin. Gisela Schill ist die _____ von Ellen und Karin. Ihre Eltern und ihre Schwiegereltern sind _____ noch. Gisela hat zwei Töchter, aber sie hat keinen _____. Ihre _____ heißen Ellen und Karin. Ellen und _____ Karin sind die _____ von Karl und Emma Schill.

3 ○ Ist Ihr Sohn Jürgen noch ledig, Frau Moser?
□ Nein, er ist _____. Unsere _____ Gisela hat einen Bruder. Der ist noch _____. Aber er will bald _____ heiraten.

Frau Moser ist die _____ von Gisela Schill.
Herr Moser ist der _____ von Gisela Schill.
Gisela Schill ist die _____ von Herrn und Frau Moser. Ihr Bruder Werner will _____ heiraten.

○ Ellen, deine _____ in München, sind das deine Großeltern _____ mütterlicher- oder _____?
□ Väterlicherseits. Die Großeltern _____ leben in Köln.
○ Besucht ihr den _____ und die Großmutter in München oft?
□ Ja, und manchmal besuchen wir auch den Großvater und die _____ in Köln.

Lektion 10

alles Gute
viel Glück
das Lebensjahr, -e
das Weihnachten
wünschen WEM WAS
das Fest, -e
froh
gleichfalls
Prost Neujahr
die Gesundheit

○ Alles Gute zum Geburtstag und **viel Glück** im neuen
Lebensjahr!
□ Vielen Dank.
○ Zu **Weihnachten wünschen** wir euch ein **frohes Fest.**
□ Danke, **gleichfalls.**
○ **Prost Neujahr!** Viel Glück und **Gesundheit** im neuen
Jahr.
□ Danke, **gleichfalls.**

die Beförderung, -en
der Erfolg, -e
die Position, -en
der/die Vorgesetzte, -n
die Versetzung, -en
gratulieren WEM WOZU
die Stelle, -n
interessant
die Verabschiedung, -en
die Zukunft
das Geschenk, -e

Lieber Herr Heistermann, herzlichen Glückwunsch zur
Beförderung. Wir wünschen Ihnen viel **Erfolg** in der neuen
Position als unser **Vorgesetzter.**
○ Ich möchte dir zur **Versetzung** in die Niederlassung
Salzburg **gratulieren.**
□ Danke. Die neue **Stelle** ist bestimmt **interessant.**
○ Heute ist die **Verabschiedung** von Frau Löble. Wir
wünschen ihr alles Gute für ihre **Zukunft.**
□ Haben wir auch ein **Geschenk** für sie?

zu Hause
das Restaurant, -s
die Wohnung, -en
Platz haben
der Gast, Gäste
finden WIE
freundlich
familiär
kühl
willkommen heißen WEN
die Ansprache, -n

Ich habe einen Plan für die Jubiläumsfeier. Wir feiern **zu
Hause** und nicht im **Restaurant.** In der **Wohnung haben**
wir genug **Platz** für zwanzig **Gäste.** Ich **finde,** so ist die Feier
freundlich und **familiär.** Im Restaurant ist das Klima
vielleicht etwas **kühl.** Du **heißt** die Gäste an der Tür
willkommen. Dann gibt es eine kurze **Ansprache.** Wie
findest du den Plan?

4 Liebe Monika,
zum Geburtstag alles _____. Wir _____ Dir viel
_____ im neuen _____.
Deine Eltern.

□ Es ist zwölf. Das alte Jahr ist zu Ende. Prost _____!
Glück und _____ im neuen Jahr!
○ Danke, _____, euch auch _____ Gute.

„Übermorgen ist _____. Frohes
_____!"

(22. Dezember)

5 „Sehr geehrter Herr Jobst, wir _____ Ihnen zur
_____ zum Abteilungsleiter. Sie sind jetzt der _____ von 25 Mitarbeitern.
Auf dieser interessanten _____ wünschen wir Ihnen viel
_____."

„Der Anlass für unsere kleine Feier ist die _____ von zwei Kollegen.
Für Frau Löble endet nach 20 Jahren die Mitarbeit im Unternehmen. Herrn Liebig
möchten wir _____ nach Salzburg _____. Die
Arbeit dort wird für Sie sicher sehr _____. Ihnen beiden wünschen
wir alles Gute für ihre _____. Und natürlich haben wir für Sie beide
auch ein _____."

6 ○ Essen wir heute im _____?
□ Nein, wir bleiben zu _____.
○ Ich _____ das Betriebsklima bei der Sperling GmbH nicht sehr
freundlich. Ich finde es ziemlich _____.
□ Das finde ich nicht. Ich finde es _____ und _____.
○ Wie empfangen wir die _____?
□ Wir _____ sie willkommen. Dann hören sie eine kurze
_____.
○ Wir heißen euch herzlich _____. Wie gefällt euch unsere neue
_____?
□ Gut. Hier habt ihr viel _____.

Lektion 10

das Hobby, -s
joggen
wandern
singen
fotografieren
die Musik

blond
die Mitte
hinter
rechts/links von
danken WEM WOFÜR

○ Haben Sie **Hobbys**?
□ Ja, mein Hobby ist Sport. Ich gehe oft **joggen**.
○ Und Sie?
■ Ich **wandere** gern und **fotografiere** viel.
○ Ich höre gern **Musik** – Beethoven, Mozart und so.
□ **Singen** Sie auch gern?

○ Ist das Eva??
□ Ja, die **blonde** Frau in der **Mitte**, das ist Eva.
○ Und wer sitzt **hinter** Eva?
□ Das ist Marta. Der junge Mann **rechts von** Eva heißt Jan. Der ist noch ledig.
○ Ich **danke** dir für den Tipp.

7 ○ Was macht ihr nach Feierabend?
Habt ihr ein _____?
□ Ich _____ gern.
Das ist mein Hobby.
■ Und ich _____ oft.
● Wir machen zu Hause oft _____ oder wir _____ viel. Ich zeige euch mal meine Fotos.
◎ Ich _____

8 Eva sitzt in der _____. Sie ist _____ von Eva. Sie arbeitet mit Jan und _____ ihm für _____ seine Hilfe. Links _____ Jan sitzt _____ Eva sitzt Marta. Marta, Eva und Jan sieht man die Zimmerfenster.

Lösungen:

1 willkommen – feiert – sein – Geburtstag – geboren – Herzlichen – wirst – Jahre alt – deine – feier – feiern – meine – Glückwünsche

2 Mann – Vater – Frau – Eltern – Bruder – Kinder – Mutter – leben – Kinder/Töchter – Sohn – Töchter – Schwester – Enkelinnen

3 verheiratet – Schwiegertochter – ledig – heiraten – Schwiegermutter – Schwiegervater – Schwiegertochter – bald – Großeltern – väerlicherseits – mütterlicherseits – Großvater – Großmutter

4 Gute – wünschen – Glück – Lebensjahr – Neujahr – Viel – Gesundheit – gleichfalls – alles – Weihnachten – Fest

5 gratulieren – Beförderung – Vorgesetzte – Stelle – Erfolg – Verab-schiedung – Versetzung – gratulieren – interessant – Zukunft – Geschenk

6 Restaurant – Hause – finde – kühl – freundlich/familiär – freundlich/familiär – Gäste – heißen – Ansprache – willkommen – Wohnung – Platz

7 Hobby – wandere – jogge – Musik – singen – fotografiere

8 Mitte – blond – rechts – dankt – von – hinter